GRUNDLAGEN UND GEDANKEN ZUM VERSTÄNDNIS
ERZÄHLENDER LITERATUR

THEODOR STORM:
DER SCHIMMELREITER

von

GERD WEINREICH

VERLAG MORITZ DIESTERWEG

Frankfurt am Main

Die Reihe wird herausgegeben von Hans-Gert Roloff.

CIP-Titelaufnahme der Deutschen Bibliothek

Weinreich, Gerd:
Theodor Storm: Der Schimmelreiter / von Gerd Weinreich.
– 1. Aufl. – Frankfurt am Main: Diesterweg, 1988.
(Grundlagen und Gedanken zum Verständnis erzählender Literatur)
ISBN 3-425-06045-7

ISBN 3-425-06045-7

1. Auflage 1988

Umschlaggestaltung: Reinhard Schubert, Frankfurt am Main

Gesamtherstellung: graphoprint, Koblenz

Inhalt

1 Allgemeine Grundlagen

1.1 Ein Leben zwischen Restauration und Imperialismus – zwischen Dänemark und Deutschland

Hans Theodor Woldsen Storm, Sohn eines Advokaten und einer Mutter aus altem Patriziergeschlecht, wuchs in einer Zeit großer politischer, wirtschaftlicher und sozialer Veränderungen auf. Storm, geboren am 14. September 1817, gestorben am 4. Juli 1888, stand diesen Geschehnissen nicht gleichgültig gegenüber. Von seinem Engagement in der aktuellen Politik und von seinem Interesse an öffentlichen Vorgängen zeugen Werk und Briefe.
Nach dem Wiener Kongreß (1815) kennzeichneten restaurative Tendenzen und Resignation die politische Stimmung in Europa. Die folgenden sozialen Kämpfe in Deutschland und den umliegenden Staaten, die revolutionären Erhebungen im Jahre 1830, der Weberaufstand in Schlesien (1844), berührten Storms Heimat, seinen Geburtsort Husum im Herzogtum Schleswig, allerdings kaum. Die Herzogtümer Schleswig und Holstein waren seit 1773 Glieder des Königreichs Dänemark. Nur Holstein trat 1815 dem „Deutschen Bund" bei. Im Bewußtsein der schleswigschen Bevölkerung war Deutschland „Ausland" (vgl. Laage 1983 , S. 5).
Als im Februar 1848 der revolutionäre Funke aus Paris auch auf die deutschen Staaten übersprang, war Storm 31 Jahre alt. Schleswig und Holstein blieben von Aufruhr nicht verschont. Die Absicht Friedrichs VII., Schleswig endgültig Dänemark einzuverleiben, führte am 21. März 1848 zur Volkserhebung in beiden Herzogtümern. Nach alten Rechten wurden Selbständigkeit und Anschluß an den „Deutschen Bund" gefordert. Storm, der nach dem Studium in Kiel und Berlin seit 1843 eine Anwaltspraxis in Husum betrieb, unterstützte von dort aus die „schleswig-holsteinische Sache". Am 24. März 1848 wurde die Provisorische Regierung für Schleswig-Holstein gebildet. Auf Bitten des Historikers Theodor Mommsen arbeitete Storm am Regierungsorgan „Schleswig-Holsteinische Zeitung" mit. Storms Sympathie mit den Aufständischen wird in den Berichten über die Vorgänge in Husum deutlich: „Nach den günstigen Ereignissen dieser Tage haben wir gestern nachmittag unsern Kirchturm von dem Zeichen der Okkupation befreit; die Danebrogsfahne ist hoffentlich für immer verschwunden" (Bericht vom 25. April 1848; Werke 4, S. 549).
Hatten preußische Truppen noch den Schleswig-Holsteinern militärisch beigestanden, so schwankte Preußens König Wilhelm IV. bei den Friedensverhandlungen in seiner Haltung den Aufrührern gegenüber. Storm beklagte, „daß wir Husumer Bürger nicht gegen das Königtum opponieren, sondern nur [...] uns über königlich-preußische Diplomatie höchlichst, doch submissest zu verwundern uns erlauben, sonst hätten wir uns einen Namen machen können, wir wären die deutschen Pariser" (Werke 4, S. 556). Die Provisorische Regierung mußte abdanken. Im April 1849 wurden die Kriegshandlungen wieder aufgenommen. Nach dem Rückzug Preußens aus dem Krieg wurden die Schleswig-Holsteiner am

25. Juli 1850 von den Dänen bei Idstedt entscheidend geschlagen. Beide Herzogtümer wurden erneut von Dänemark besetzt und der dänischen Monarchie unter Zusicherung einer gewissen Selbständigkeit angegliedert.
Für Storm, der durch Wort und Schrift die Volkserhebung unterstützt hatte und dem die dänische Regierung nun „Renitenz" und „Illoyalität" vorwarf, war der Ausgang des Befreiungskampfes enttäuschend. An Laura Setzer schreibt er am 14. Oktober 1850: „Wie sehr mich wenig politischen Menschen denn doch diese Zeit aufgeregt hat, mögen Sie daraus entnehmen, daß es unter den Dänen hier heißt, ich rase vor Patriotismus." (Storms Briefe werden im folgenden, wenn nichts anderes angegeben, zit. nach: Theodor Storm. Briefe. Hg. v. P. Goldammer, 2 Bde. Berlin, Weimar 1972.) Zahlreiche politische Gedichte entstanden in jener Zeit, so *Im Herbst 1850*. Darin wird Preußen angeklagt: „Ein Wehe nur und eine Schande / Wird bleiben, wenn die Nacht verschwand: / Daß in dem eignen Heimatlande / Der Feind die Bundeshelfer fand" (Werke 1, S. 157). Während Storms Enttäuschung besonders aus der ungelösten Schleswig-Holstein-Frage resultierte, war das liberale Bürgertum in den Ländern des „Deutschen Bundes" unzufrieden mit den Resultaten der Demokratisierungs- und Einigungsbestrebungen nach der gescheiterten 1848er Revolution. Preußen blieb ein Militär- und Polizeistaat, in dem der Adel seine Privilegien bewahren konnte. Unzufriedenheit herrschte auch in Storms Heimat. „Ich weiß wohl, es ist jetzt eine schlimme Zeit", schreibt Storm am 22. November 1850 seinem Jugendfreund Hartmuth Brinkmann. „Die Gendarmen", so Storm an denselben am 30. Mai 1852, „hausen hier auf den Dörfern wie lauter kleine Geßler". Klagen über die politischen Zustände ziehen sich durch die Korrespondenz der folgenden Jahre.
Storms politisches Engagement hatte Konsequenzen. Der dänische König weigerte sich Ende 1852, die Bestallung Storms als Advokat zu bestätigen, es sei denn, er würde die schleswig-holsteinische Sache verleugnen und den Status quo anerkennen. Dazu war Storm nicht bereit: „Seitdem bin ich aus meiner [...] bürgerlichen Existenz herausgerissen und gehe jetzt, wie so viele meiner Landsleute, nach Amt und Brot in deutschen Landen umher." (an Hermann Kletke, 3. April 1853) Nach mehreren fehlgeschlagenen Bewerbungen gelang es Storm, im preußischen Justizdienst unterzukommen, zunächst in Potsdam (1853 – 1856), dann in Heiligenstadt (1856 – 1864).
Die politischen Kämpfe im Innern wie im Äußern spitzten sich zu. In Preußen übernahm 1861 Wilhelm I. die Macht, Bismarck wurde 1862 Ministerpräsident. Die großen politischen Änderungen führten auch bald zu Konsequenzen in Storms Leben. Auslöser war erneut die Schleswig-Holstein-Frage. Neue Pläne der dänischen Regierung, sich Schleswig endgültig einzuverleiben, und Erbfolgestreitigkeiten zwischen Dänemark und den Herzogtümern ließen die schleswig-holsteinische Volksbewegung wieder aufleben. Die Bitte um Schutz, die die Herzogtümer an den „Deutschen Bund" richteten, führte Ende 1863 dazu, daß Holstein auf Betreiben Preußens und Österreichs mit sächsischen und hannoverschen Truppen besetzt wurde. Mit Engagement begleitete Storm vom preußischen Heiligenstadt aus die Vorgänge in seiner alten Heimat. Immer wieder betonte er seine

Sympathie für die Unabhängigkeitsbewegung und unterstrich, fern jeder Bismarck- oder Preußenverehrung, seine demokratische Gesinnung. Herablassend äußerte er sich über den Adel: „Der Junker muß lernen den schweren Satz, / Daß der Adel in unsern Zeiten / Zwar allenfalls ein Privatpläsier, / Doch sonst nichts hat zu bedeuten." (Brief an den Vater, 21. Dezember 1863) „Es ist mir sehr wohl bewußt", so fährt Storm im selben Brief fort, „daß der überall unausbleibliche Kampf zwischen der alten und neuen Zeit bei uns ein sehr hartnäckiger werden muß. Diesen sozialen Kampf in meiner Heimat noch zu erleben und rüstig durch das begeisterte Wort mitkämpfen zu können ist in bezug auf das äußere Leben mein allerheißester Wunsch."

Im selben Monat entstand auch das Gedicht *Gräber in Schleswig*, ein enthusiastischer Aufruf, jetzt den Kampf für die Befreiung zu wagen. „In diesem Kampf der Tyrtäus der Demokratie zu sein ist mein heißester Lebenswunsch", bekennt Storm am 18. Januar 1864 in einem Brief an Brinkmann. In Husum war inzwischen der dänische Landvogt durch eine spontane Bürgerversammlung abgesetzt und Storm in Abwesenheit zu seinem Nachfolger ausgerufen worden. Storm ließ sich daraufhin aus dem preußischen Dienst verabschieden und reiste im März 1864 nach Husum. Storms Hoffnungen auf ein selbständiges Schleswig-Holstein erfüllten sich nicht. Ganz wie er es von „der Bismarckschen Räuberpolitik" (an L. Pietsch, 27. Dezember 1864) erwartet hatte, so saß Preußen schon zwei Jahre später an Stelle der Dänen in Schleswig und Holstein. Pessimismus, Resignation und Haß gegen die preußische Herrschaft kennzeichnen in den folgenden Jahren die Stimmung in Storms Briefen. Für ihn seien „die guten Tage [...] vorbei", denn durch die Preußen, „diese Flegel", seien „die öffentlichen Verhältnisse so widerwärtig" geworden (an L. Pietsch, 30. Januar 1867). Sie behandeln uns „wie einen besiegten Stamm", schreibt er an Friedrich Eggers, und er glaube, daß durch die „unglaublich naive Roheit dieser Leute" die „Furche des Hasses" vertieft werde. „Auf diese Weise einigt man Deutschland nicht." (16. August 1867) Es scheine, daß in „Preußen überhaupt nur der recht hat, der die Gewalt hat". Er leide sehr darunter, so Storm, Beamter einer solchen Regierung sein zu müssen (an H. Brinkmann, 21. Januar 1868).

Der Husumer riskierte mit seinen offenen Äußerungen ein neuerliches Berufsverbot, dieses Mal durch die preußische Regierung. Freunde warnten ihn, sich in seinen Reden zurückzuhalten, zumal im preußischen Justizministerium von „Mißliebigkeit" und „Ungnade" die Rede war (vgl. Laage 1983, S. 55). Anders als der Preußen- und Bismarckverehrer Fontane, der zum Einmarsch der Preußen in die Herzogtümer ein rühmendes Einzugslied dichtete, verweigerte sich Storm einer solchen Aufforderung. Empört schrieb er Fontane: „Hol Sie der Teufel! Wie kommen Sie dazu, daß *ich* eine Siegeshymne dichten soll! Möchten Sie der letzte Poet jener doch Gott sei Dank und trotz alledem dem Tode verfallenen Zeit sein, worin die Tat des Volkes erst durch das Kopfnicken eines Königs Weihe und Bedeutung erhält." (zit. nach Laage 1983, S. 54)

Nicht minder kritisch war Storms Haltung zum Deutsch-Französischen Krieg 1870/71, obwohl in einem Brief an die Österreicherin Ada Christen, geschrieben kurz nach der Kriegserklärung Frankreichs an Preußen im Juli 1870, überraschend nationalistische und sogar chauvinistische Töne anklingen. „Niemand kann das spezifisch preußische Wesen mehr hassen als ich, denn ich halte es für den Feind aller Humanität; aber es gibt Dinge, die selbstverständlich sind, wie das Atmen zum Leben; dazu gehört bei dem Angriff einer fremden Nation das Zusammenstehn aller Stämme der eignen. [...] *Deutschen* Herd und deutsche Gesittung haben wir jetzt zu verteidigen gegen die Romanen." Wirklich überzeugt von seinem Mobilisierungsaufruf schien Storm aber nicht: „Mein Hauptgefühl aber bei diesen ewigen Kriegen ist – *Ekel*." (ebd.) Dem Sohn Ernst gesteht er, es ekele ihn, „einer Gesellschaft von Kreaturen anzugehören, die außer den übrigen ihnen von der Natur auferlegten Funktionen [...] auch die mit elementarischer Stumpfheit befolgt, sich von Zeit zu Zeit gegenseitig zu vertilgen" (Brief vom 3. August 1870).

Wie wenig Begeisterung er diesem Krieg gegen Frankreich und dem Kriegsverlauf entgegenbrachte, verheimlicht Storm nicht. So lehnte er es ab, an „Schutz- und Trutzliedern" mitzuwirken, so fürchtete er, daß die deutsche Nation durch die Kriegs-Siege „am Ende auch noch Geschmack an der gloire" bekomme (Brief an G. Westermann, 2. September 1870), und er sah mehr und mehr das „Eroberungsgelüst" Preußens und die kalte Demonstration seiner Macht in Schleswig-Holstein in einem Zusammenhang. Solange man sich diese entwürdigende Behandlung gefallen lasse, sei man „ein Volk von Knechten" (an Ernst Storm, 8. August 1870). Erst müsse die „Gewalt im Innern besiegt" sein, dann würde auch er jubeln (ebd.). Für Storm bestand kein Anlaß, sich in die lange Reihe der Jubelschreier neben einen Emanuel Geibel zu stellen, als nach dem Sieg über Frankreich Wilhelm I. im Versailler Schloß zum deutschen Kaiser gekrönt und die Gründung des Deutschen Reiches verkündet wurde.

Nach dem gewonnenen Krieg begann der als „Gründerzeit" charakterisierte Abschnitt der deutschen Geschichte. Mittels des Kapitals, das als französische Kriegsentschädigung nach Deutschland einströmte, gab es zahlreiche Firmenneugründungen und wirtschaftliche Spekulationen. Mit der Expansion von Industrie und Handel und dem imperialistischen Auftreten, das mit dem Erwerb von Kolonien verbunden war, wuchsen auch die Spannungen im Innern: Kulturkampf, Verelendung der Arbeiter, Sozialistengesetze. Der Mythos Bismarck blieb davon lange unberührt. Storm seinerseits bewahrte seine Vorbehalte gegen den Reichskanzler und dessen Politik. Demonstrativ lehnte er daher 1884 den Auftrag aus Berlin ab, zum 70. Geburtstag Bismarcks eine große Hymne zu schreiben.

Nach seiner Übersiedlung ins holsteinische Hademarschen im Jahre 1880 kommentierte Storm nur noch selten das politische Geschehen, aber in viele seiner späten Novellen sind die Probleme der Zeit eingeflossen, so auch in den *Schimmelreiter*.

1.2 Die Novellistik Storms

Storms Alterserzählung, die *Schimmelreiter*-Novelle, steht am Ende einer literarischen Entwicklung, die den Autor von der Lyrik zur Novellistik führte. Märchen, Spukgeschichten und kleine Prosaskizzen ergänzen das Werk. Storm hat sich nie am Roman oder am Drama erprobt. Er sei, so schreibt er am 15. Mai 1888 an den sozialdemokratischen Kritiker Johannes Wedde, literarisch stets seinen „eignen Weg gegangen [...]; wie oft hat man mich zu andren Wegen verlocken wollen; ich bin nie auch nur in Versuchung geraten".

Storm begann als Lyriker. Noch 1868, als er sich bereits als Novellist einen Namen gemacht hatte, sah er vor allem im Gedicht seine „dichterische und menschliche Persönlichkeit" am besten ausgedrückt (an G. Westermann, Juli 1868). Seit 1870 etwa, nach dem Tod seiner ersten Frau und nach den anstrengenden politischen Wirren in Schleswig-Holstein, schrieb Storm kaum noch Gedichte. Nicht allein vermißte er die notwendige „unmittelbare Empfindung", auch hatte seine Novellistik die Lyrik „völlig verschluckt" (an Gottfried Keller, 7. August 1885). Als einen „zagen Schritt [...] in das Drama des Lebens" (an Otto Speckter, 25. April 1860) empfand der Lyriker Storm seine ersten Erzählversuche.

Wenige Jahre vor seinem Tod wagte er sich an eine Einschätzung seiner Novellistik:

„Sie hat sich aus der Lyrik entwickelt und lieferte zuerst nur einzelne Stimmungsbilder oder solche einzelne Szenen, wo dem Verfasser der darzustellende Vorgang einen besonderen Keim zu poetischer Darstellung zu enthalten schien; andeutungsweise eingewebte Verbindungsglieder gaben dem Leser die Möglichkeit, sich ein größeres geschlossenes Ganzes, ein ganzes Menschenschicksal mit der bewegenden Ursache und seinem Verlaufe bis zum Schlusse [...] vorzustellen. Allmählich bildete sich die vollständige und völlig lückenlose Novelle heraus" (an Eduard Alberti, 12. März 1882).

Folgerichtig empfand Storm seine frühen Novellen weniger als Geschichten, denn als Isolierung einzelner Momente von poetischem Interesse, als poetisch geschilderte „Situationen" des Alltagslebens, wie Gervinus sie definierte (vgl. dazu den Brief an H. Brinkmann, 22. November 1850).

Die Novelle *Immensee* (1849) ist Beispiel solcher ‚stimmungsbildartig' dargestellten Realität nach der gescheiterten März-Revolution. Die Novelle besteht aus einer Folge von aneinandergereihten Situationsbildern, jedoch noch ohne epischen Handlungsfluß. Verbunden sind die Szenen durch den sie umgebenden Erzählrahmen und eine einführende und abschließende Erinnerungssituation.

Als Rahmennovelle konzipiert sind viele Erzählungen Storms, und auch das Zeitverhältnis des Erinnerns ist ein Merkmal, das Storm in mehr als der Hälfte seiner etwa sechzig Novellen verwendet hat (vgl. dazu Böckmann 1968, S. 85 – 93). Aus seiner Schreibpraxis heraus entwickelte er eine Novellentheorie, die er in einigen Kernsätzen 1881 formulierte:

„Die Novelle [...] eignet sich zur Aufnahme auch des bedeutendsten Inhalts [...]. Sie ist nicht mehr, wie einst, ‚die kurzgehaltene Darstellung einer durch ihre Ungewöhnlichkeit fesselnden und einen überraschenden Wendepunkt darbietenden Begebenheit'; die heutige Novelle ist die Schwester des Dramas und die strengste Form der Prosadichtung. Gleich dem Drama behandelt sie die tiefsten Probleme des Menschenlebens; gleich diesem verlangt sie zu ihrer Vollendung einen im Mittelpunkt stehenden Konflikt, von welchem aus das Ganze sich organisiere, und demzufolge die geschlossenste Form und die Ausscheidung alles Unwesentlichen; sie duldet nicht nur, sie stellt auch die höchsten Forderungen der Kunst." (Werke 4, S. 618 f.)

Diese eigenwillige Definition der Novelle deckte sich nicht mit den Vorstellungen seiner Zeitgenossen wie Keller oder Fontane. Die Charakterisierung der Novelle als ‚unerhörte Begebenheit mit überraschendem Wendepunkt' (so Goethe und Tieck) genügte ihm nicht mehr. Auch die „Falkentheorie" seines Freundes Paul Heyse, der nach dem Beispiel der Falkennovelle in Boccaccios *Decamerone* einen ‚Falken', das ist ein immer wieder erscheinendes, verbindendes Leitmotiv, verlangte, ließ Storm in ihrem Absolutheitsanspruch nicht gelten: „[...] es kann ein bedeutender poetischer Wert auch ohne ihn vorhanden sein" (an Heyse, 16. April 1876). Gottfried Keller gegenüber unterstrich er seine Einstellung: er lasse „den Boccaccioschen Falken [...] unbekümmert fliegen" (Brief vom 13. September 1883). Nach Storms Verständnis fordert die gute Novelle einerseits, „im möglichst Individuellen das möglichst Allgemeine auszusprechen" (an H. Brinkmann, 10. Dezember 1852), andererseits fordert sie Kürze, Beschränkung auf das Notwendigste und Verdichtung, wodurch zwangsläufig ein hohes Maß an Typik und Symbolik unerläßlich ist.
Die Novelle hatte sich in der Epoche zwischen 1848 und der Ära Bismarck, zwischen Nachmärz und Gründerzeit, angesichts der raschen und vielfältigen Veränderungen im öffentlichen Leben neben dem Roman als besonders geeignet erwiesen, das „Aktualitätsbedürfnis der Leserschaft" zu erfüllen und Wirklichkeit darzustellen (Aust 1981, S. 72). Die Novelle, so Storm, habe „gleichsam die Aufgabe des Dramas übernommen" (Werke 4, S. 619), weil dieses entweder die Menschen nicht erreiche oder deren Bedürfnissen nicht nachzukommen vermöge. Als Autor des Realismus bediente sich Storm einer realistischen Schreibweise, also einer nüchternen, sachlichen, lebens- und wirklichkeitsnahen Darstellungskunst.
Auch in den Frühnovellen sah Storm diesen Anspruch eingelöst: „Sie sind [...] überall ganz realistisch ausgeprägt und dabei in der ganzen Durchführung doch durch den Drang nach der Darstellung des Schönen und Idealen getragen." (Brief an H. u. L. Brinkmann, 21. Januar 1868) Diese Formulierung deckt sich mit der Forderung nach „poetischer Verklärung", nach einer Synthese von unverfälschter Wiedergabe der Wirklichkeit und ihrer idealisierenden Überhöhung, die der Programmatiker des „Poetischen Realismus", Otto Ludwig, erhoben hatte. Dieses „Streben nach Versöhnung", das in der deutschen Realismusepoche dominierte (vgl. Bucher u.a. 1976, S. 7) und welches der Wirklichkeitsdarstellung bestimmte Grenzen setzte, findet sich auch bei Storm, doch kennt er ebenso die ‚unversöhnliche' Lösung: Dann endet der Konflikt in der Novelle ‚tragisch' (vgl. dazu Storms Brief an Karl Th.Pyl, 7.April 1875). Eine Theorie des Tragischen formulierte Storm gegenüber E. Alberti:

„Zum *Tragischen* wird meist eine *Schuld* des (sog.) Helden gefordert. Diese Fassung ist aber viel zu eng und etwas philiströs. Der vergebliche Kampf des Einzelnen gegen das, was durch die Schuld oder auch nur die Begrenzung, die Unzulänglichkeit des Ganzen (der Menschheit), von dem er ein nicht ablösbarer Teil ist, und also auch durch den Kampf gegen die Unzulänglichkeit des eignen Wesens [...] ihm entgegensteht, ist gewiß nicht weniger tragisch und, wie ich meine, das vorzugs[weise] Tragische der epischen Dichtung, der Novelle." (Brief vom 12. März 1882)

Zu den Novellen mit einer tragischen Lösung gehört *Der Schimmelreiter*, nicht aber *Immensee*, wenn auch hier eine sentimentale Grundstimmung und ein Hauch von Tragik vorzufinden ist. Eine zeitbezogene Erzähldimension wie in *Immensee*, wo Storm Kritik an der Passivität des Bildungsbürgertums übt, findet sich in unterschiedlicher Ausprägung in fast allen Novellen Storms. Gleichgültig, ob es um Familien- und Eheprobleme oder um die unerfüllte, unerwiderte Liebe geht, ob Alkoholismus, Krankheit, Verbrechen oder auch nur der Rückzug in ein scheinbares Idyll im Mittelpunkt stehen, fast immer ist in Storms Novellen diese auf einzelne Personen zugeschnittene individuelle Dimension, die mit der Fabel der Geschichte übereinstimmt, von einer zeitbezogenen Erzähldimension begleitet. Hinzu kommt als dritte die zeitlose, allgemeingültige Dimension, in der die „Prinzipialkonflikte" des Lebens angesprochen werden, wie Gegenwart und Vergangenheit, Tradition und Fortschritt, individuelle Wünsche und gesellschaftliche Pflichten, Jugend und Alter. (Vgl. Schuster 1971, S. 5 f.)
Die zeitbezogene Dimension, mit der sich vor allem die Arbeiten von I. Schuster (1971), G. Ebersold (1981) und Goldammer (1980) befassen, läßt sich grob in folgende Bezugskategorien aufteilen:

a) Kritik des politischen Tagesgeschehens;
b) das Individuum im Konflikt mit Religion, Sitte und gesellschaftlicher Moral;
c) Kritik des Adels;
d) Krisenerscheinungen im Bürgertum;
e) Kritik des gründerzeitlichen Erwerbs-, Aufstiegs- und Machtstrebens.

Schon diese Einteilung deutet an, daß in der Novellistik Storms zumeist ein kritisch-pessimistischer Grundton herrscht. Die aus den politischen Ereignissen resultierende resignative Stimmung findet hier ihren Niederschlag. Ein humorvoller Ton ist selten anzutreffen. „Humor", so Storm am 4. August 1885 an den Herausgeber der illustrierten Monatsschrift „Das humoristische Deutschland", Julius Stettenheim, „ist ja die tiefste und fertigste Lebensstimmung", und er sehe sich nicht in der Lage, an der Schrift mitzuarbeiten, denn „soviel Humor ist in ganz Deutschland nicht zu haben".
Storms pessimistische Betrachtung der Gesellschaft seiner Zeit läßt sich auch aus den Chroniknovellen der siebziger und achtziger Jahre herauslesen, die zumeist vor der Kulisse des 17. und 18. Jahrhunderts spielen (z.B. *Aquis submersus*, *Eekenhof*, *Renate*, *Ein Fest auf Haderslevhuus*, *Zur Chronik von Grieshuus*). Die Rückwendung in die Geschichte kann als Flucht aus der unüberschaubar gewordenen Gegenwart gedeutet werden. Andererseits waren historischer Stoff und

historisches Milieu eine ideale Grundlage, aktuelle Zeitkritik zu äußern, ohne sich auf die komplizierte Analyse von Zeitströmungen des 19. Jahrhunderts einlassen zu müssen. Der Gefahr, daß der Leser die Kritik an Klerus, Adel und anachronistischen Standesnormen nur vergangenheitsbezogen deuten könnte, ist Storm dabei allerdings nicht immer entgangen.

Mit Blick auf den *Schimmelreiter* sind besonders jene Novellen von Interesse, in denen Storm die krisenhaften Erscheinungen im Bürgertum des 19. Jahrhunderts und das skrupellose Streben eines Teiles der bürgerlichen Schicht nach Aufstieg, Gewinn und Macht thematisiert. Vorwiegend aus der Sicht betroffener bürgerlicher Familien wird der Leser mit den Umwälzungen in Industrie, Handel und Handwerk und der sich ausbreitenden neuen Wertehaltung konfrontiert, die den Menschen nach seinem Verhältnis zu Geld und Spekulation, Zinsen und Karriere klassifiziert.

So geht es in der Novelle *Im Nachbarhause links* (1875) um die Einsamkeit und Kälte im Hause eines Ehepaares, dessen Geldgier und Hang zu äußerlich-vergänglichen Werten den inneren Werten einer Nebenfigur der Erzählung gegenübergestellt wird. Die Zerstörung einer Familie schildert Storm in der Novelle *Der Herr Etatsrat* (1881). Der gefühlskalte Etatsrat, ein rational denkender Techniker, beurteilt den Wert menschlicher Beziehungen nur nach dem unmittelbaren Nutzen für sich selbst. Sein krasser Egoismus nimmt bestialische Züge an, wenn er nach gewohnheitsmäßigem Alkoholgenuß seine Familie tyrannisiert. Storms Anklage richtet sich nicht nur gegen die Titelfigur, sondern auch gegen die bürgerliche Nachbarschaft, die den Ablauf und das tödliche Ende dieser Familiengeschichte eher goutiert als sich in Abscheu zum Eingreifen bewegen zu lassen.

Auch in *Hans und Heinz Kirch* (1882) umreißt Storm die Krise der bürgerlichen Familie und die Vereinsamung des Menschen. Im Mittelpunkt steht der Konflikt zwischen Vater und Sohn. Ein Vater, der seinen bürgerlichen Aufstieg im Sohn vollendet sehen möchte, fühlt sich in seinen Erwartungen enttäuscht. Der bürgerlichen Ordnung und der Reputation wegen verstößt er den Sohn, obwohl er ihn liebt. Ungeschminkte bürgerliche Wirklichkeit begegnet dem Leser ebenfalls in *Carsten Curator* (1877). Unterschiedliche bürgerliche Lebenshaltungen treffen aufeinander: auf der einen Seite der solide, rechtschaffene Vater, für den Arbeit an sich einen Wert darstellt, auf der anderen Seite der Sohn, der im gründerzeitlichen Geist mit leichtsinnigen und undurchsichtigen Spekulationen Gewinn machen möchte und verliert.

Den Kampf zwischen alter und neuer Zeit, zwischen konträren Wertordnungen, stellte Storm bereits 1858 in der tragischen Novelle *Auf dem Staatshof* dar. Er erzählt darin vom Niedergang eines ehemals begüterten Patriziergeschlechts, dessen letzter Besitz in die Hände der wirtschaftlich erstarkten rücksichtslosen Erwerbsbourgeoisie übergeht. Die abschließenden Worte des Erzählers verdeutlichen, daß Storms Sympathien nicht dem gefühl- und kulturlosen Vertreter der neuen Epoche gehören: „Er hat die alte Hauberg niederreißen lassen und ein modernes Wohnhaus an die Stelle gesetzt. [...] Er hat recht gehabt, es geht ihm wohl; [...] Ich aber bin niemals wieder dort gewesen.“ (Werke 1, S. 620) Scharfe

Kritik an der Erwerbsbourgeoisie der Bismarck-Ära zeichnet auch die Novelle *Zur Wald- und Wasserfreude* (1878) aus. Zentrale Figur ist der neue Unternehmertyp, der rigoros seine wirtschaftlichen Interessen in einer bislang friedlichen dörflichen Gemeinschaft durchzusetzen versucht.

Für den tiefen Pessimismus des Autors einer Zeit gegenüber, aus der heraus die *Schimmelreiter*-Erzählung entstand, ließen sich noch viele Beispiele aus anderen Novellen anführen. Sei es die Verrohung der bürgerlichen Gesellschaft, die in der Künstlergeschichte *Pole Poppenspäler* (1874) zum Ausdruck kommt, seien es die überheblichen Abgrenzungsversuche der Mittelschicht-Bourgeoisie vom Kleinbürgertum (vgl. *Drüben am Markt*, 1860, und *Auf der Universität*, 1862), sei es der drohende Zusammenbruch kleiner Handwerksbetriebe durch das Aufkommen von Großbetrieben (vgl. *Bötjer Basch*, 1886): Alle diese Entwicklungen vollziehen sich in den Schattenbereichen der wirtschaftlichen Expansion, werden überdeckt von dem glanzvollen Aufstieg des Kapitaladels und vernebelt vom Heiligenschein eines Bismarck. „Der Schaden der Bismarckschen Periode", schrieb der alte Mommsen, „ist unendlich viel größer als ihr Nutzen, denn die Gewinne an Macht waren Werte, die bei dem nächsten Sturme der Weltgeschichte wieder verlorengehen; aber die Knechtung der deutschen Persönlichkeit, des deutschen Geistes war ein Verhängnis, das nicht mehr gutgemacht werden kann." (zit. nach H. Kohn, Wege und Irrwege. Vom Geist des deutschen Bürgertums. Düsseldorf 1962, S. 201)

Der Charakter dieser amoralischen deutschen Gesellschaft des ausgehenden 19. Jahrhunderts wird in Storms Novelle *Ein Doppelgänger* (1886) sehr deutlich. Die Novelle „führt uns so recht einen Menschen der Gegenwart vor, einen von der Gesellschaft ausgestoßenen Proletarier", bemerkte der zeitgenössische Kritiker Johannes Wedde. Dieser Proletarier, John Hansen, hat im Zuchthaus gesessen, und er kann nicht wieder ins normale Leben zurückfinden, weil „eine Gesellschaft der satten zahlungsfähigen Moral" auf ihn „als auf ein ‚sittlich verkommenes Individuum' mit tugendhafter Verachtung" hinabblickt und ihn lieber zu Tode hetzt (Wedde-Zitate in: Werke 4, S. 643 f.).

Wie in der *Doppelgänger*-Novelle, die Laage als „die erste naturalistische Erzählung in Deutschland" bezeichnet (Laage 1983, S. 81), ist auffallend, in welchem Maße Storm in den Altersnovellen verstärkt Themen des Naturalismus aufgreift. Erfahrungen mit seinem ältesten Sohn Hans ließen ihn mehrfach das Thema Alkoholismus behandeln, besonders eindringlich in der Erzählung *John Riew'* (1885), worin er sich mit der Trunksucht als Erbanlage und gesellschaftlichem Phänomen auseinandersetzt. Auch Gemüts- und Geistesverwirrung thematisierte Storm, so in *Schweigen* (1883) und in *Es waren zwei Königskinder* (1884).

Insgesamt kann festgestellt werden, daß Storm in seiner Novellistik nicht die Augen vor den aktuellen sozialen und politischen Problemen seiner Zeit verschloß. Das tat er auch nicht in seinen Spukgeschichten und Märchen, wie z. B. *Die Regentrude* und *Bulemanns Haus*, *Hinzelmeier*, *Der kleine Häwelmann* oder *Der Spiegel des Cyprianus*. Märchendichtung war für ihn kein unwichtiges Nebenprodukt. Besonders vor dem Hintergrund der Kriegswirren in Schleswig-

Holstein überkam ihn „der fast dämonische Drang zur Märchen-Dichtung" (an H. Brinkmann, 18. Januar 1864), die er zu einer durchsichtigen Kritik der Gesellschaft nutzte und in der er soziale Konflikte schilderte und dem Märchen zukommende phantastische Lösungen anbot.
Die Mißdeutung Storms als politisch wenig relevanten Heimatdichter kann nur aus der Unkenntnis seines Werkes oder aus der falsch gedeuteten Tatsache resultieren, daß nahezu alle Arbeiten dieses großen Novellisten das Lokalkolorit seiner norddeutschen Heimat tragen. „Ich bedarf äußerlich der Enge, um innerlich ins Weite zu gehen", schrieb Storm am 21. September 1881 an Hermione von Preuschen. Dieses Wort, das von der Rezeptionsgeschichte zuweilen gegen ihn verwendet wurde, spricht deutlich für ihn. Mit der Entscheidung, die „tiefsten Probleme des Menschenlebens", derer sich die Novellistik anzunehmen hat, von solchen Menschen und in solchen Umgebungen austragen zu lassen, die ihm vertraut waren, hatte Storm sich zwar freiwillig enge Grenzen gesteckt, aber der Leser konnte sicher sein, daß die Darstellung realistisch war und die Details stimmten, und er war als denkendes Subjekt aufgefordert, selbsttätig die Verbindungslinien zur großen Politik zu ziehen und seine Schlüsse und Entschlüsse davon abzuleiten. Ein hervorragendes Beispiel dafür ist die *Schimmelreiter*-Novelle.

1.3 „Der Schimmelreiter"

1.3.1 Die Entstehung des Werkes

Schon lange vor der eigentlichen Planung der *Schimmelreiter*-Novelle hatte diese Figur einen Platz in Storms Gedankenwelt. Aber erst wenige Jahre vor seinem Tod reifte die Idee, den Stoff zu einer Novelle zu verarbeiten. Erhaltene Briefe und Tagebuchnotizen machen es leicht, die Entstehungsgeschichte zu verfolgen. Von der Idee bis zur Fertigstellung des Manuskripts vergingen drei Jahre. Ausgedehnte Vorstudien einerseits, die schwere Krankheit des Autors andererseits, dazu immer wieder eingeschobene Arbeiten an anderen Erzählungen, verzögerten den Fortgang und Abschluß der *Schimmelreiter*-Novelle.

3. Februar 1885: „Jetzt aber rührt sich ein alter mächtiger Deichsagenstoff in mir, und da werde ich die Augen offen halten; aber es gilt vorher noch viele Studien! Die Sache wird ein paar Jahrhunderte zurück liegen." (Brief an Erich Schmidt; Storm – Schmidt Briefwechsel 2, S. 107)
10. Februar 1885: „Zu einer neuen Arbeit, die sich in meinem Kopfe festsetzen will, möchte ich gern eine kleine, nur ganz flüchtige Skizze der Landtheile von Nordstrand, Husum, Simonsberg haben, wie es eben vor der großen Fluth von ann. 1634 war. Da ich meine, daß Eckermann mir neulich solch ein altes Kärtchen zeigte, erlaubt er vielleicht, daß Gertrud, die ich freundlich darum bitte, es mir abzeichnet; die Deiche, wenn solche angegeben sind, möglichst deutlich, sowie die Ortsnamen." (Brief an die Frau des Deichbauinspektors Christian Eckermann in Heide; Laage [Hg.], Der Schimmelreiter, S. 115)
20. Februar 1885: „Jetzt spukt eine gewaltige Deichsage, von der ich als Knabe las, in mir;

aber die Vorstudien sind sehr weitläufig." (Brief an seine Tochter Lisbeth; Storm, Briefe an seine Kinder, S. 232)
2. April 1885: „Grüße, bitte, Deine Eltern und sage Papa, [...] ich müsse die Arbeit bis zum Herbst aufschieben, denn ich muß mit Vater vorher allerlei durchsprechen dazu. Ich komme einmal." (Brief an Gertrud, Tochter des Deichbauinspektors Eckermann; Laage, Schimmelreiter, S. 115)

Der Beginn der Arbeit am *Schimmelreiter* verzögerte sich über den Herbst hinaus. Bis Ende Juli 1885 schrieb Storm *Ein Fest auf Haderslevhuus*, dann begann er mit *Bötjer Basch*, den er erst am 9. Februar 1886 abschließen konnte.

4. Dezember 1885: „Mit meiner Gesundheit geht es leidlich [...]; am 5. Januar geht es dann auf reichlich 14 Tage nach Husum [...] . Dann habe ich große Lust, eine Deichnovelle zu schreiben, ‚Der Schimmelreiter', wenn ich es nur noch werde bewältigen können." (Brief an Paul Heyse; Werke 4, S. 658)
5. Dezember 1885: „Nach Neujahr hoffe ich mit der Deich- und Sturmfluth-Novelle ‚Der Schimmelreiter' zu beginnen, die wohl im Sommer ihre Vollendung finden könnte, und die ich Ihnen dann senden werde." (Brief an den Berliner Verleger Paetel; Neue Storm-Briefe, S. 17)
15. Januar 1886: „Vor der Deichnovelle habe ich einige Furcht und wollte erst diese leichtere Arbeit (d.i. *Bötjer Basch*, G. W.) mal zwischenschieben." (Brief an Paul Heyse; Werke 4, S. 658)
30. März 1886: „Ich begänne so gern die beabsichtigte Deich- und Sturmnovelle; aber sie müßte gut werden, da sie so heimatlich ist; doch ich kann nicht; auch fehlt mir so viel im Material, was ich zur Zeit nicht schaffen kann. Die kurze Zeit und die sich darin noch dazu verkürzende Kraft, das drückt mich mitunter." (Brief an Erich Schmidt; Storm – Schmidt Briefwechsel 2, S. 124 f.)

Dem Willen, endlich mit der Novelle zu beginnen, stand immer wieder das schlechte seelische und körperliche Befinden des Autors entgegen.

8. Juli 1886: „Sie sehen; einsam ist es hier nicht, u. Alles um mich schön genug; wäre ich nur noch einmal wieder gesund. [...] Unter so lebendiger Umgebung ist es, abgesehen von meinen abnehmenden Kräften, nicht leicht zu arbeiten. Dennoch ist der ‚Schimmelreiter' begonnen, allerlei Studien sind dazu gemacht" (Brief an Erich Schmidt; Storm – Schmidt Briefwechsel 2, S. 128 f.).
Juli/August 1886: „[...] es ist ein heikel Stück, nicht nur in puncto Deich- und andrer Studien dazu, sondern auch, weil es seine Mucken hat, einen Deichspuk in eine würdige Novelle zu verwandeln, die mit den Beinen auf der Erde steht." (Brief an Paetel; Werke 4, S. 659)

Wie gegenüber seinem Verleger äußerte sich Storm am 29. August 1886 auch in einem Brief an Heyse (Werke 4, S. 659), dem er das zentrale Problem der künstlerischen Umsetzung vortrug und dem er am 27. September 1886 gelobte, daß er sich in „den nächsten Tagen" wieder an den *Schimmelreiter* setzen werde (vgl. ebd.).
Vermutlich hatte Storm zu diesem Zeitpunkt noch nicht mehr als Notizen vor sich liegen, denn im August und September 1886 hatte er an der Novelle *Ein Doppelgänger* geschrieben, die er Karl Emil Franzos für dessen neue Zeitschrift „Deutsche Dichtung" versprochen hatte.

Auch danach ging es mit dem *Schimmelreiter* nicht voran. Eine schwere Krankheit befiel Storm im Herbst 1886 und fesselte ihn bis Februar 1887 ans Bett: „Seit den ersten Tagen des Oktober bin ich bettlägerig, zunächst an Rippenfellentzündung, dann an einer Reihe danach so oft folgender Krankheiten, deren Weg mich mehrmals an den schwarzen Seen vorbeiführte" (an G. Keller, 12. Januar 1887; Storm – Keller Briefwechsel, S. 169 f.). In dieser Zeit war Storm vollkommen arbeitsunfähig. Der Tod des Sohnes Hans am 3. Dezember 1886 belastete ihn zusätzlich. Anfang März 1887 nahm er wieder Papier und Feder zur Hand. Fast nicht zu bewältigen schien ihm der ‚böse Block', der *Schimmelreiter*-Stoff, so in einem Brief an Heyse am 29. August 1886. Erneut flüchtete er sich in eine andere Thematik und schrieb die Novelle *Ein Bekenntnis*. Derweil verstärkten sich seine körperlichen Beschwerden, ein Nierenleiden kam hinzu. Storms Arzt eröffnete ihm nun die bittere Wahrheit: Magenkrebs. Scheinbar mit Fassung nahm Storm die Diagnose auf.

4. Mai 1887: „Der ‚Schimmelreiter' hat heut ein wunderlich, mir angenehmes Kapitel erhalten. Ich denke über Sommer mit dieser eigenthümlichen, nicht eben ausgedehnten Arbeit fertig zu werden. [...] ich glaube zu fühlen, daß das fünfmonatige Krankenlager, wenn auch meinen armen Leib, so doch mein besser Theil, die Seele nicht verletzt hat." (Brief an Paetel; Neue Storm-Briefe, S. 18)

Entsprechend hoffnungsvoll äußerte sich Storm auch gegenüber seinem Sohn Karl (vgl. Gertrud Storm, 1912/13, Bd. 2, S. 228). In ihrer Storm-Biographie berichtet die Tochter Gertrud dann: „Aber Storm hatte sich überschätzt; er vermochte die Gewißheit eines nahen Todes nicht zu ertragen. Tiefe Schwermut ergriff ihn. Keiner, der ihn liebte, konnte das ertragen. Die Hoffnung, ohne die es kein Glück gibt, mußte ihm wiedergegeben werden."
Die Familie entschloß sich, an dem Kranken eine Scheinuntersuchung durchführen zu lassen. Die hinzugezogenen Ärzte erklärten, „sie hielten sein Leiden nicht für Krebs, sondern für eine Erweiterung der Aorta. Diese fromme Lüge war eine glückliche Lösung und schenkte dem Dichter noch einen heiteren Sommer. Sie gab ihm die Kraft, seine letzte Novelle ‚Der Schimmelreiter' mit ungetrübter Geistesfrische zu beenden." (ebd.) Storm hatte jetzt so viel Mut geschöpft, daß er sogar kürzere Fahrten in die Umgebung unternahm und dabei an der Novelle weiterschrieb.

8. Juni 1887: „Am ‚Schimmelreiter' wird alle Wochen vier- oder fünfmal ein Stückchen geschrieben" (an Paetel; Werke 4, S. 659).

Im August 1887 war Storm zu einem Erholungsaufenthalt auf Sylt. Von dort stammt sein Entwurf zur *Sylter Novelle*. Gekräftigt kehrte der Dichter nach Hademarschen zurück. Anläßlich seines siebzigsten Geburtstages fanden am 13./14. September in Kiel und Hademarschen Feierlichkeiten statt. Storm ließ die Fülle von Ehrungen gern über sich ergehen. Diese gaben ihm einerseits Genugtuung und Ermutigung, andererseits zehrten die Aufregungen auch an seinen Kräften.

20. Oktober 1887: „Mein vielgenannter ‚Schimmelreiter' ist bis S. 92 der Reinschrift gediehen, und Sonntag will ich nach Heide, um mit meinem Deich-sachverständigen Freunde [...] Eckermann ein Nöthiges weiter zu besprechen. Aus einem Jungen ist Hauke Haien nun auf diesen 92 Seiten zum Deichgrafen geworden; nun bedarf es der Kunst, ihn aus einem Deichgrafen zu einem Nachtgespenst zu machen." (an Paul Heyse; Laage, Schimmelreiter, S. 117)

Vom Besuch bei Eckermann berichtet Storm am 29. Oktober 1887 seiner Tochter Elsabe und bemerkt dann: „Bei meinem Magenleiden geht das Arbeiten langsam." (Laage, Schimmelreiter, S. 117)

1. November 1887: „Der Magendruck ließ mir bis vor 14 Tagen weder Tag- noch Nachtruhe, und es gab nur vormittags ein paar Stunden, wo ich schreiben und arbeiten konnte. Trotzdem sind in der Zeit über 100 Geburtstagsbriefe beantwortet, die Reinschrift meines ‚Schimmelreiters' ist auf 126 Oktavpostpapier à 21 Reihen gewachsen, und in Konzept ist schon wieder recht viel vorhanden." (an Tochter Lisbeth; Laage, Schimmelreiter, S. 117)

Optimismus spricht auch aus Storms Briefen an die Töchter Dodo und Elsabe (vom 2. und 5. November 1887). Einen Monat später war die Reinschrift wegen der unverminderten Schmerzen in Brust und Magen zwar nur um eine Seite gewachsen, doch hoffte Storm, die Novelle „zum Aprilheft" in die „Deutsche Rundschau" liefern zu können (Brief an den befreundeten Schleswiger Regierungsrat Wilhelm Petersen, 3. Dezember 1887; Storm – Petersen Briefwechsel, S. 176 f.).
Am 18. Dezember 1887 läßt Storm Heyse wissen: „Im Januar werde ich wohl mit dem ‚Schimmelreiter' fertig, dem Größten, was ich bisher schrieb." (Storm – Heyse Briefwechsel 2, S. 200) Wenige Tage zuvor war Storm erneut bei Eckermann in Heide gewesen, um weitere Details des Deichbaus durchzusprechen (vgl. Brief an Paetel, 16. Dezember 1887; Laage, Schimmelreiter, S. 118). Nach einem letzten Besuch in Husum im Januar 1888 schreibt Storm am

5. Februar 1888: „Ich selbst habe fortgefahren zu arbeiten, wo ich in Husum aufhalten mußte, und werde in drei Tagen fertig sein. Bei Durchsicht des Ganzen habe ich den Glauben gewonnen, daß mein ‚Schimmelreiter', wenn er auch kein Meisterstück geworden – die sind wohl nicht mehr für mich –, doch Ihnen ein gewisses Interesse abgewinnen wird." (an Emilie Gräfin zu Reventlow)

Am *9. Februar 1888* trägt Storm in sein Tagebuch ein: „Heute vormittag 11 Uhr den ‚Schimmelreiter' beendet." (Zitate aus dem bislang unveröffentlichten Tagebuch bei Laage, Schimmelreiter, S. 118/121, hier S. 118)
Bevor Storm das Manuskript an Paetel schickte, las er die Novelle im engsten Familienkreise vor. Seine Tochter Gertrud berichtet: „Der Dichter lag tief zurückgelehnt im Lehnstuhle und las mit leiser, von Ergriffenheit getragener Stimme. Als er zu Ende gelesen hatte, fragte er leise: ‚Ist es nicht langweilig?' und strich wie liebkosend mit der Hand über die Blätter, indem er hinzufügte: ‚Das ist dann ja auch ein schöner Schluß.'" (Gertrud Storm 1912/13, Bd. 2, S. 241)

Über die Beendigung der Arbeit unterrichtete Storm Heyse am 11. Februar 1888 (vgl. Werke 4, S. 661) und Erich Schmidt am

16. Februar 1888: „[...] in wenigen Tagen hoffe ich Ihnen Correcturbogen meiner bis jetzt größten Geschichte, dem ‚Schimmelreiter' schicken zu können, den ich wohl besser schon vor 10 Jahren hätte schreiben sollen. Es wird Sie, lieber Freund, in eine Ihnen wohl fremde Welt führen und ich hoffe, daß Sie es nicht ohne alle Theilnahme aus der Hand legen werden." (Storm – Schmidt Briefwechsel 2, S. 146)

Auch gegenüber der Tochter Elsabe bekennt Storm: „Ganz zufrieden bin ich mit meiner Arbeit nicht; ich hätte sie vor 10 Jahren schreiben sollen." (17. Februar 1888; Storm, Briefe an seine Kinder, S. 285)
Am 10. März 1888 besorgte Storm die letzte Korrektur für den Abdruck in der „Deutschen Rundschau", wo sie im April- und Mai-Heft 1888, Band 55, S. 1 – 34 und S. 161 – 203, erschien.
Bewunderung, mit einigen kritischen Anmerkungen vermischt, kennzeichnet die ersten Reaktionen der Freunde und Bekannten. Dem Kieler Soziologen Ferdinand Tönnies schreibt Storm am 7. April 1888:

„Es ist mir übrigens sehr lieb, daß auch das Werk, wie es jetzt ist, eine Wirkung auf Sie ausgeübt hat; denn zu einer Umarbeitung werde ich schwerlich kommen; meine Greisen-Müdigkeit erschrickt davor, und – die Sache ist sehr heikel, was ich während der Arbeit deutlich genug empfunden hab; man verliert hier sehr leicht auf der einen Seite, was man auf der andern dadurch gewönne."

Angetan von der freundlichen Aufnahme bekannte Storm gegenüber Tönnies, wie gut es ihm täte in einer Zeit, wo er sich „selber nicht mehr trau wie einst. Dann ist es ja auch ganz gedeihlich, daß einer aus der alten Schule einmal wieder etwas geleistet hat, was den Besten das Herz erregt." (9. Mai 1888) Kritische Hinweise von Tönnies, Erich Schmidt und dem Schweizer Literarhistoriker Jakob Baechtold, die die für Binnenländer schwer verständliche „Landesdeichsprache" betrafen, wurden von Storm aufgegriffen. Der Buchausgabe, die im Herbst 1888, nach Storms Tod, im Verlag der Gebrüder Paetel in Berlin erschien, hatte der Dichter Worterklärungen „für binnenländische Leser" hinzugefügt. Die Buchausgabe, die Storm noch selbst korrigiert hatte, trug die Widmung: „Meinem Sohn Ernst Storm, Rechtsanwalt und Notar in Husum, zugeeignet."

1.3.2 Korrekturen am Ur-Manuskript

Von Beginn des Schreibprozesses an stand der Titel der Novelle fest. Einige Textveränderungen sind uns heute, dank der Forschungen K.E. Laages, bekannt.
Der hier verwendete *Schimmelreiter*-Text ist der aktuellen Reclam-Ausgabe entnommen, die dem Text der kritischen Werkausgabe von Albert Köster aus dem Jahre 1924, erste Auflage 1919 f., Bd.7, folgt. Ebenfalls die Köster-Ausgabe zur Grundlage genommen hat Goldammer, in dessen vierbändiger Werkausgabe der *Schimmelreiter* in Band 4, S. 251 – 372, abgedruckt ist. Die Seitenangaben der

Zitate aus dem *Schimmelreiter* werden in dieser Reihenfolge (Reclam/Goldammer) nachgewiesen. Da sowohl in der Reclam-Ausgabe als auch von Goldammer gegenüber Köster behutsam Anpassungen an den heutigen Stand der Orthographie und Interpunktion vorgenommen wurden, kann es geringfügige Abweichungen zwischen beiden Texten geben. Zitiert wird der Text der Reclam-Ausgabe. Kösters Text fußt auf dem der ersten Buchausgabe (Paetel, 1888). Gegenüber dem Erstdruck in der „Deutschen Rundschau" wurde für die Buchausgabe ein Abschnitt hinzugefügt, der mit den Worten: „ein paarmal..." beginnt und mit „...zu betrachten" endet (Reclam, 128 / Goldammer, 357; vgl. dazu den Brief Storms an F.Tönnies, 7. April 1888). Ein im Brief vom 22. Februar 1888 an den Verleger Paetel von Storm mitgesandter Nachtrag findet sich im Erstdruck wie in der Buchausgabe. Dabei handelt es sich um einen Abschnitt, der hinter dem Satz: „Drinnen stand Hauke neben seiner Frau am Fenster" (132/361), eingefügt wurde. (Vgl. Laage, Schimmelreiter, S. 119 f., wo auch die erste Seite des Nachtrags als Faksimile abgebildet ist.)
Die bedeutsamste Veränderung gegenüber dem ursprünglichen Manuskript war die Streichung einer ‚letzten kleinen Szene', weil sie „zu sehr aus der Stimmung fiel" (Brief Storms an Paetel, 3. März 1888; dieser inzwischen verlorengegangene Brief wird von Albert Köster in seiner Storm-Ausgabe, Bd. 8, S. 288, zitiert). Diese Schlußszene stand ursprünglich zwischen den Worten „... das geht noch alle Tage" und „Als das lebhafte Männlein das gesagt hatte" (vgl. 145/371).
Da dieser Szene für die Interpretation ein gewisser Aussagewert zukommt (vgl. Kap. 4), der Text aber weder in die Reclam-Ausgabe noch bei Goldammer aufgenommen ist, erfolgt der Abdruck hier.
Das handschriftliche Manuskript der Urfassung des *Schimmelreiters*, welches diesen Novellenschluß noch enthält, ist in der Kieler Landesbibliothek aufbewahrt. Das Manuskript wurde von K.E. Laage entdeckt und von ihm ausführlich kommentiert (vgl. Laage 1979/1981). Laage weist dabei auch auf weitere kleinere Korrekturen hin, die Storm noch vor dem ersten Druck des Textes durchführte.
Der ursprüngliche Schluß der Novelle nach der Original-Handschrift:

Es soll nämlich, und ich darf das nicht vergessen, damals doch noch einer auf dem neuen Deich zurückgeblieben sein, während die Uebrigen südwärts nach der Stadt und von dort nach ihrem Kirchdorf auf der Geest zurückgeflohen waren, wo sie außer ihrem Deichgrafen nebst Weib und Kind die ganze Marsch beisammenfanden.
Der Zurückgebliebene aber sollte jener Carsten, der frühere Dienstjunge des Deichgrafen gewesen sein, ein ebenso abergläubiger, als, wenn seine Neugierde ins Spiel kam, waghalsiger Geselle, und derzeit noch im Dienst des Ole Peters. Er wollte an der Binnenkante des Deiches dem letzten Ritte seines früheren Herrn gefolgt sein; und einen ganzen Sack voll hatte er bei seiner Rückkehr auszukramen. „Hu aber, Frau Vollina", sagte er zu seiner Wirthin, und das Weib kreuzte schon in behaglichem Schauder die Hände über ihren Leib; „da begab sich etwas! Ich lag dicht hinter ihm am Deich; da stieß er dem Schimmel die Sporen in die Seiten und riß das Maul auf und schrie; verstehen konnt' ich's nicht, der Lärm umher war gar zu grauslich! Aber es wird wohl sein dummes „Vorwärts!" gewesen sein, womit er allezeit sein Thier zu treiben pflegte. Ja, vorwärts! Was meint Ihr, Frau Vollina!"
„Ja, was mein' ich?" plapperte das Weib. „So sprich doch Carsten!"

„Da ist nicht gut zu sprechen, Frau!“ fuhr Carsten fort: „So arg ich meine Augen aufriß, ich sah itzt weder den Schimmel, noch ein ander Pferd; nur den Reiter sah ich, und es war noch, als ritte er mit seinen Beinen in der Luft; aber ein schwarzes Unding war über ihm und hielt ihn in seinen Krallen. Dann begann ein fürchterliches Hülfsgeschrei, das lauter war, als Sturm und Wasser; aber, Frau, wen der Teufel in den Krallen hat, dem kann nur Gott zu Hülfe kommen!“
„Und dann? Und dann?“ rief Frau Vollina. „Ja, Frau; dann sah ich weiter nichts; ich hörte nur die großen Wasser, die in unsren Koog hinabstürzten und lief – denn mir war plötzlich die Angst ins Gemüt gefahren – auf dem Deich zur Stadt hinunter, um nur mein eigen bischen Leben aus dieser schreckbaren Einsamkeit zu retten. Aber„ – und er dämpfte seine Stimme, und Frau Vollina neigte ihren runden Kopf zu seinen Lippen – “das Schrecklichste sah ich gestern Abend; ich war bei hellem Mondschein auf den Deich hinaus, bis gerad' vor Jeverssand — das weiße Pferdsgerippe, das fort war, so lang der Schimmel in des Deichgrafs Stall gestanden – es liegt wieder dort! Geht nur hin und sehet selbst!“
Aber Frau Vollina stieß einen Schrei aus: „Herr Gott und Jesus, seid uns gnädig!“
„– Das“, sagte nach einer Weile der Schulmeister, „ist das Ende von Hauke Haiens Geschichte, wenn Sie sich dieselbe im Dorfe wollen erzählen lassen. Und so ist es immer weiter gegangen, und der arme Deichgraf, der tüchtigsten einer, die wir hier gehabt haben, ist allmählich zu einer Schreckgestalt erniedrigt worden: bei Hochfluthen müssen seine verstäubten Atome sich zu einem Scheinbild wiederum zusammenfinden; das muß auf seinem Schimmel über die Deiche galoppiren und, wenn Unheil kommen soll, sich in den alten Bruch hinabstürzen. Credat judaeus Apella! pflegten wir auf der Universität zu sagen.“
Meines eigenen Abentheuers gedenkend wollte ich für den Gespensterglauben einen bescheidenen Vorbehalt erbitten; aber mein Gastfreund fiel mir in die Rede: „Ja, ja, werther Herr“; sagte er, „Sie wollen einwenden, Sie haben ihn selbst gesehen! Was Sie gesehen haben, weiß ich nicht: es könnte auch ein Leibhaftiger, das heißt, ein Mensch gewesen sein; dort draußen auf dem Sophienhof, der Besitzer hat einen Bruder bei sich, einen alten wunderlichen Junggesellen; die Leute halten ihn für einen Narren, er selbst treibt Astronomie und hält sich für einen großen Wetterkundigen. Der hat ein hager Angesicht und ein paar tiefliegende Augen und reitet am liebsten im fliegenden Sturm auf den Deichen hin und wieder; ob er einen Schimmel hat, weiß ich nicht zu sagen; unmöglich ist das nicht. Aber – einerlei, mag reiten wer da will, nur den Deichgraf Hauke Haien laßt mir aus dem Spiel; der hat wie kaum ein Andrer seine Ruh' verdient!“

1.3.3 Der Stoff

Für den *Schimmelreiter* schöpfte Storm aus zahlreichen Quellen. Die eifrige Suche vieler Forscher nach diesen Quellen hat eine Fülle von Details zutage gefördert, die aus Platzgründen nur skizziert werden können.
Dichtung und Wirklichkeit sind in der Novelle eine derart nahtlose Symbiose eingegangen, daß manche Dinge heute oftmals als historische Fakten angesehen werden, die tatsächlich aber nur der dichterischen Phantasie entsprungen sind.
So ist der Name der Hauptfigur, Hauke, erst von Storm als Friesenname erfunden worden. Heute „ist er in Nordfriesland weitverbreitet“ (vgl. Barz 1985, S. 214). Die Nordfriesen, so Barz, sähen im *Schimmelreiter* ihr Nationalepos, und diese Dichtung sei „in einem Ausmaß Bestandteil einer Landschaft“ geworden, „wie es

in der gesamten Literaturgeschichte einzig sein dürfte" (ebd.). Wege tragen den Namen Hauke Haiens, da gibt es den Schimmelreiter-Krug, und es gibt seit 1961 den Hauke-Haien-Koog, 30 km nördlich von Storms Geburtsort gelegen.
Die folgende Darstellung des Quellenmaterials stützt sich wesentlich auf Storms eigene Angaben, auf Laages und Barz' Informationen, vor allem aber auf Holanders 1976 herausgegebene *Schimmelreiter*-Dokumentation.

a) Sagen vom gespenstischen Reiter

Storm läßt den Leser nicht darüber im Zweifel, daß seine *Schimmelreiter*-Novelle durch überlieferte ältere Erzählungen angeregt worden ist. So berichtet er in einer 1873 geschriebenen Studie über seine Husumer Bekannte Lena Wies, mit bürgerlichem Namen Magdalena Jürgens, wie er in seiner Jugend oft ihren versponnenen Geschichten gelauscht habe. Und eine ihrer Erzählungen war die „Sage von dem gespenstischen Schimmelreiter [...], der bei Sturmfluten nachts auf den Deichen gesehen wird und, wenn ein Unglück bevorsteht, mit seiner Mähre sich in den Bruch hinabstürzt" (Werke 4, S. 405). Im ersten Absatz der Novelle nennt der Erzähler eine andere Quelle, nämlich ‚ein in blaue Pappe eingebundenes Zeitschriftenheft', das er „vor reichlich einem halben Jahrhundert" gelesen haben will. Er könne sich jedoch nicht mehr entsinnen, ob es sich um die „Leipziger" oder um „Pappes Hamburger Lesefrüchte" gehandelt habe (vgl. 3/251). Dank der Entdekkung Karl Hoppes ist mit großer Sicherheit anzunehmen, daß Storm die Geschichte *Der gespenstige Reiter* aus Johann J.Chr. Pappes Hamburger Zeitschrift „Lesefrüchte vom Felde der neuesten Literatur des In- und Auslandes", Band 2, 1838, kannte, worin dieselbe als Nachdruck aus dem „Danziger Dampfboot" vom April desselben Jahres erschienen war (vgl. Hoppe 1949, S. 45 – 47).

Die Geschichte *Der gespenstige Reiter* trägt den Untertitel *Ein Reiseabentheuer*. Darin wird von einem Mann berichtet, der im April 1829 wegen geschäftlicher Angelegenheiten von Danzig nach Marienburg reitet und in Dirschau, wegen des naßkalten Wetters und der einsetzenden Dunkelheit, vor dem Übersetzen über den nahen Weichsel-Fluß eine Rast in einem Gasthof einlegt. Vom Wirt erfährt er, daß in der Dunkelheit das Überqueren des Flusses nicht nur beschwerlich, sondern auch gefährlich sei. Der Reiter will es dennoch versuchen, die Fährknechte an der Weichsel weigern sich aber, und der Reiter sieht sich genötigt, auf dem Deich entlang bis zu einer größeren Fährstation zu reiten. Dieser Ritt wird zum Abenteuer, denn es dunkelt immer mehr, gelegentlich leuchten Sterne durch die Nebelwolken, die Gegend ist „in schwarze Schatten" gehüllt, kein menschliches Wesen ist zu erblikken: „nur das Brausen des Sturmes und das Geprassel des, durch das Wasser immer höher gehobenen und geborstenen Eises waren meine schaurigen Begleiter". In dieser unheimlichen Stimmung hört er plötzlich das „rasche Trappeln eines Pferdes", er fühlt es vorbeireiten, fühlt es vor sich hersprengen, sieht aber nichts. Dann aber scheint es wieder zurückzukehren und es ist ihm, als sähe er die „Gestalt eines weißen Pferdes, mit einem schwarzen, Menschen ähnlichen Gebilde drauf sitzend". Vor Angst zitternd gelangt der Reiter zu einer Wachtbude, wo er Obdach findet. Die versammelten Leute halten Eiswache. Da ist es plötzlich, als rausche „irgend etwas an dem Fenster vorbei". Die Leute springen entsetzt auf und einer ruft: „Es muß irgendwo große Gefahr sein, denn der Reiter auf dem Schimmel läßt sich sehen". Dann gehen die Wachtleute hinaus, um nachzusehen. Ein zurückbleibender alter Mann erzählt dem Fremden nun die Geschichte vom Schimmelreiter. Er berichtet, daß einst ein hervorragender Deichgeschworener sich mit seinem Roß in das Wasser einer vom Eisgang verursachten Bruchstelle des Weichseldeiches gestürzt habe, weil er sich schuldig fand, auf diese Stelle bei seinen Inspektionen nicht genug achtgegeben zu haben. „Noch scheinen Beide nicht Ruhe gefunden zu haben, denn sobald Gefahr vorhanden ist, lassen sie sich noch immer sehen."

Diese Sage, die hier in groben Zügen wiedergegeben ist und welche bei Laage (Schimmelreiter, S. 129 – 132) und Holander (1976, S. 47 – 50) vollständig abgedruckt ist, hat hinsichtlich des Inhalts und der Erzählstruktur so viel Ähnlichkeit mit Storms Novelle, daß wenig Zweifel besteht, daß Storm diese Vorlage benutzt hat, daß also der *Schimmelreiter* seinen Ursprung an der Weichsel und nicht an der Nordsee hat. Schon am 13. Februar 1843 schrieb Storm an Theodor Mommsen anläßlich der gemeinsam geplanten Sammlung schleswig-holsteinischer Sagen: „Der Schimmelreiter, sosehr er auch als Deichsage seinem ganzen Charakter nach hieher paßt, gehört leider nicht unserm Vaterlande."
Scheint sich Storms Novelle auch wesentlich auf diese Weichselsage zu stützen, so ist doch anzunehmen, daß Storm noch aus verschiedenen anderen Sagenquellen geschöpft hat. Man weiß, daß er im Besitz von mehr als zwanzig Sagensammlungen aus verschiedenen deutschsprachigen Gebieten, aus Frankreich und aus der Schweiz war. Es ist zu vermuten, daß er sie gründlich für seine Novelle studiert und manche Motive für den *Schimmelreiter* übernommen hat.
So findet sich das Motiv des lebenden Deichopfers, das den Deichbruch verhindern oder einen schwer zu schließenden Bruch wieder befestigen helfen soll, sowohl in ostpreußischen als auch friesischen und holsteinischen Sagen. Beispielsweise wird aus Heiligenstedten am Stördeich berichtet, daß man dort einer Zigeunerin ein Kind abhandelte und dieses lebendigen Leibes in die Bruchstelle stürzte und mit Erde begrub (vgl. Holander 1976, S. 35 f.). Im *Sagenbuch der Voigtlande* begegnet man Schimmelreitern und anderen gespenstischen Figuren. Zahlreiche weitere motivverwandte Sagenstoffe erwähnt Holander (1976, S. 26 – 35). In der von Mommsen und Storm geplanten, dann jedoch von Karl Müllenhoff herausgegebenen Sagensammlung, findet sich keine Schimmelreiter-Sage, nur eine Erzählung von einem umherirrenden Sylter Strandvogt. Eine Anmerkung weist jedoch auf ein Schimmelreiter-Motiv hin, das aus dem Kreise Lauenburg stammen soll: „Ein Deichgraf reitet den Deich der Elbe entlang, um nachzusehen. Man zwingt ihn in die Fluthen hineinzureiten. Seitdem sieht man ihn allnächtlich auf seinem weißen Pferde" (nach Müllenhoff, zit. bei Laage, Schimmelreiter, S. 133). Auch aus dem Husum nahegelegenen Eiderstedter Bereich gibt es ähnliche Berichte.
Welche Quellen Storm letztendlich genutzt hat, ist nicht nachweisbar. Storm selbst beklagte mitunter, daß er selbst nicht so recht wisse, wo er dem Motiv erstmals begegnet sei. Es könne, so vermutet er gegenüber Frau Eckermann, vielleicht in einer ostfriesischen Sage gewesen sein (vgl. Laage, Schimmelreiter, S. 134).

b) Die Gestalt des Deichgrafen

Die Gestalt des Deichgrafen Hauke Haien ist eine vom Dichter geschaffene Figur, die aber in sich, wie die *Schimmelreiter*-Forschung herausgefunden hat, Züge mehrerer historischer Persönlichkeiten vereint. Die Suche nach Modellen, aus denen Storm seinen Hauke Haien geformt haben könnte, war angeregt worden durch die Kenntnis, daß Storm für seine Novelle Materialien der verschiedensten Art herangezogen hatte, darunter auch Berichte über ehemalige Deichgrafen. Hinweise in der Novelle verstärkten diese Suche. So sagt der Schulmeister am Anfang der Erzählung: „In der Mitte des vorigen Jahrhunderts [...] gab es hier einen Deichgrafen, der von Deich- und Sielsachen mehr verstand, als Bauern und Hofbesitzer sonst zu verstehen pflegen" (9/256).

In der Hoffnung, daß eine Rekonstruktion der biographischen Daten der dichterischen Gestalt Hauke Haien zu den Modellen führen könnte, hat u.a. Holander alle Hinweise in der Novelle gesammelt und zu einem Gesamtbild zusammengefügt. Ungeachtet der Fülle von Ungereimtheiten und Vorbehalten, die einem solchen fiktiven Lebenslauf zu eigen sind, kommt Holander zu folgender Kurzbiographie Haukes:

geboren 1715; 1732 Konfirmation; 1733 Antritt des Dienstes beim Deichgrafen Tede Volkerts; 1738 Tod des Vaters; 1739, in der Novelle heißt es, er sei „kaum vierundzwanzig" (63/302), finden die Verlobung mit Elke Volkerts, die Hochzeit und die Ernennung zum Deichgrafen statt; 1747/48 Beginn der Eindeichungsarbeiten; ein Jahr zuvor weist Hauke auf seine zurückliegende siebenjährige Amtszeit hin (69/307); mit dem Verweis auf den Deichbruch vor dreißig Jahren (89/324) könnte die große Weihnachtsflut von 1717 gemeint sein; 1747/48 Geburt Wienkes; 1756 Todesjahr Haukes. Dieses Jahr ist in der Novelle ausdrücklich angegeben (129/358). Tatsächlich gab es am 7. Oktober 1756 eine sehr schwere Sturmflut. Nach diesen Berechnungen starb der Hauke Haien der Novelle im Alter von 41 Jahren.

Welche historischen Persönlichkeiten standen möglicherweise – aufgrund ihrer Tätigkeit, ihrer Eigenarten, ihres Lebensbereiches – dem fiktiven Hauke Haien Modell? Sechs Namen tauchen in der Forschung immer wieder auf.

– *Johann Claussen Rollwagen* (1563 – 1623), ein Niederländer, der 1609 von den schleswig-holsteinischen Herzögen zum Generaldeichgrafen ernannt wurde, und der von Tönning aus das Deichwesen in Eiderstedt und Nordfriesland befehligte. Er ist historisch interessant, weil er in Nordfriesland erstmals die Form des abgeflachten Deichprofils verwendete und beim dortigen Deichbau die Schubkarre einführte. Sein Sohn, Claus Jansen Rollwagen, unterstützte die Arbeit und machte sich auch einen Namen in der Geschichte des Deichbaus.

– *Jan Clausen Coott*, auch ein Niederländer, der nach Oldenswort bei Tönning übergesiedelt war und etwa von 1570 bis 1630 lebte. Er arbeitete bei verschiedenen Deichbauten mit Rollwagen zusammen und wird bisweilen heute noch mit diesem verwechselt.

– *Jean Henri Desmercières*, ein Franzose, der um 1730 erstmals die nordfriesische Marsch besuchte. Als „Geheimer Conferenzrath" des dänischen Königs war er mit großem Engagement verantwortlich für die Eindeichung des Sophie-Magdalenen-Kooges bei Bredstedt (1742), des nach ihm benannten Desmercières-Kooges (1767) und des Nordstrander Elisabeth-Sophien-Kooges (1771). Die von Rollwagen eingeführte, hernach eher vergessene flache Deichform, wurde von ihm wieder favorisiert.

– *Hans Momsen* aus Fahretoft, einem Ort zwischen Niebüll und Bredstedt. Der alteingesessene Friese Momsen (1735 – 1811) war Mathematiker, Mechaniker, Astronom und Navigationskundiger in einem. Er war Sohn eines Deichvogts und 1787 selbst Deichvogt.
– *Johann Iwersen-Schmidt* (1798 – 1875) und *Hans Iwert Schmidt* (1774 – 1824), beide Hofbesitzer und Großbauern auf Lundenberg in der Hattstedter Marsch und Deichgrafen daselbst.

Was haben diese historischen Personen mit dem Novellenhelden Hauke Haien zu tun? Ihr Lebens- und Wirkensgebiet, im geographischen Sinne, ist auch das Hauke Haiens. Sie waren, wie dieser, dem Deichbau oder der Deichaufsicht verbunden. Als Urheber des abgeflachten Deichprofils tritt in der Novelle Hauke Haien auf. Da gibt es verschiedene Details aus dem Leben der Familie Iwersen-Schmidt, die Storm persönlich kannte, die zur Novelle passen. Zu nennen ist die Beerdigung des Johann Iwersen-Schmidt auf dem Hattstedter Friedhof – Storm war vermutlich anwesend – , die als Vorlage für die Schilderung der Beerdigung des alten Deichgrafen Volkerts gedient haben könnte. Zur Novelle paßt auch der Schauplatz Hattstedter Marsch und das in der Familienstammtafel überlieferte energische Durchsetzungsvermögen des Deichgrafen Johann Iwersen-Schmidt, das ja auch Hauke Haien kennzeichnet. Über den Vater des Johann, Hans Iwert Schmidt, ist im Hattstedter Kirchenbuch zu lesen, daß er 1824 „nicht weit von seinem Haus in einem Graben ertrunken" sei. Nach Familienüberlieferung soll der Unfall so geschehen sein, daß dem auf einem Schimmel reitenden Iwert Schmidt bei sehr stürmischem Wetter der Umhängemantel über den Kopf geweht wurde. Dadurch habe das Pferd gescheut und den Reiter in den Graben geworfen. (Vgl. Holander 1976, S. 89) Schließlich ist da noch Hans Momsen, auf den Storm in der Novelle hinweist: „Ihr hörtet wohl schon, Herr, die Friesen rechnen gut, und habet auch wohl schon über unsern Hans Mommsen [!] von Fahretoft reden hören, der ein Bauer war und doch Bussolen und Seeuhren, Teleskopen und Orgeln machen konnte. Nun, ein Stück von solch einem Manne war auch der Vater des nachherigen Deichgrafen gewesen" (9/256). Der Hinweis auf die Ähnlichkeit mit Hauke Haiens Vater muß als bewußtes Verwirrspiel Storms hingenommen werden, denn tatsächlich trägt der junge Hauke eine Fülle von Zügen des jungen Momsen, der 1843 ausführlich porträtiert wurde (in: Gnomon, ein Volks- und Schullesebuch [...] . Kiel ^{2}1843, S. 43 ff.). Zweifellos hat Storm diese Quelle benutzt, denn es gibt bisweilen wörtliche Übereinstimmungen zwischen Quellen- und Novellentext (Abdruck der Quelle bei Holander 1976, S. 85 – 88). Das reicht von der Neugier des Jungen über das Euklid-Studium in holländischer Sprache bis hin zum Interesse für theoretische Probleme, trotz der vom Vater zugewiesenen körperlichen Deichbauarbeit.
Noch zwei andere Namen müssen hier erwähnt werden, die auch zur Gestaltung des Stormschen Deichgrafen Hauke beigetragen haben könnten.
Zum einen ein *Martin Andresen*, der im 19. Jahrhundert Deichgraf auf Pellworm war, und dessen Person und Lebensgeschichte Storm gekannt haben soll. Dieser Andresen, so P. Barz, war Autodidakt wie Hauke. Er heiratete die Nichte seines früheren Dienstherrn, führte auf Pellworm ein rigoroses, aber erfolgreiches

Deichgrafenregiment, verließ schließlich jedoch wegen verschiedener Widerstände und Anfeindungen die Insel. (Vgl. Barz 1985, S. 164)
Ein anderes mögliches Vorbild ist *Christian Friedrich Salchow*, der von 1819 bis 1843 ein erfolgreicher Deichinspektor war. Auf seine Initiative wurden zahlreiche neue Deiche mit einem sanft zum Meer abfallenden Profil gebaut. Storm hat Salchow mit ziemlicher Sicherheit gekannt, wohnten doch beide – wenn auch mit zeitlichem Abstand – im gleichen Haus in Husum. Vermutlich ist dieser Salchow als Etatsrat Sternow in Storms Novelle *Der Herr Etatsrat* (1881) porträtiert worden. Als einer, der „eine höhere Stelle in dem Wasserbauwesen unseres Landes bekleidete" (Werke 3, S. 317), wird Sternow vorgestellt. (Vgl. auch Barz 1985, S. 158 f.)
Die Fülle der Bezugspunkte und Quellen, die auf die eine oder andere Weise den Deichgrafen Hauke Haien mitgestaltet haben können, gibt einen Eindruck von dem ausgiebigen Quellenstudium und dem gewünschten Realismus, der in der Novelle zum Ausdruck kommen sollte.

c) Die Schauplätze der Novelle

Die Novelle spielt „irgendwo hinter den Deichen in der nordfriesischen Marsch", schrieb Storm an Gottfried Keller (9. Dezember 1887), und er unterstrich damit, daß die Suche nach vermuteten realen Schauplätzen erfolglos bleiben müsse. Dennoch – auch wenn Storm reale Ortsnamen vermied – fußt die *Schimmelreiter*-Geschichte auf der Kenntnis und Vorstellung einer dem Verfasser vertrauten Landschaft. Die an den Deichbauinspektor Eckermann bereits andernorts zitierte Anfrage nach einer Karte des Gebiets „von Nordstrand, Husum, Simonsberg [...], wie es eben vor der großen Fluth von ann. 1634 war", gibt einen Fingerzeig, welche Gegend Storm im Kopfe hatte, als er an der Novelle schrieb. Eine in Caspar Danckwerths *Landesbeschreibung* von 1652 befindliche Karte des Husumer Kartographen Johannes Mejer wird als die gewünschte Karte vermutet (vgl. Laage, Schimmelreiter, S. 140 ff.; vgl. auch Hinrichs u.a. 1985, S. 67). Holander und Laage, die sich wiederum auf andere lokale Forscher stützen, haben die Angaben in der Novelle mit den Örtlichkeiten der obigen Karte verglichen, und sie sind zu dem kaum überraschenden Ergebnis gekommen, daß die Novellenhandlung vor dem Hintergrund der Landschaft zwischen Nord(er)goesharde, einem alten Verwaltungsbezirk um Bredstedt, und Husum abläuft.
In der Novelle berichtet der Erzähler zu Beginn von seinem Ritt „auf einem nordfriesischen Deich" (3/251). Er kommt von „einer der nördlicheren Harden" (4/252) und will in die „Stadt, die [...] ein paar Stunden weit nach Süden" (ebd.) liegt. Zur „Linken" hat er die „Marsch", zur „Rechten [...] das Wattenmeer der Nordsee" (3/251). Bei guter Sicht könne „man vom Deiche aus auf die Halligen und Inseln sehen" (ebd.). Die Stadt ist Husum, darauf weisen im Text noch andere Details hin, wie die Straße „Damm", die Apotheke am Markt, der Goldschmied Andersen, den es wirklich gegeben hat. Nach den Angaben in der Novelle zur Lage des „neuen Koogs" und des Hauke-Haien-Deichs hat Laage eine Skizze

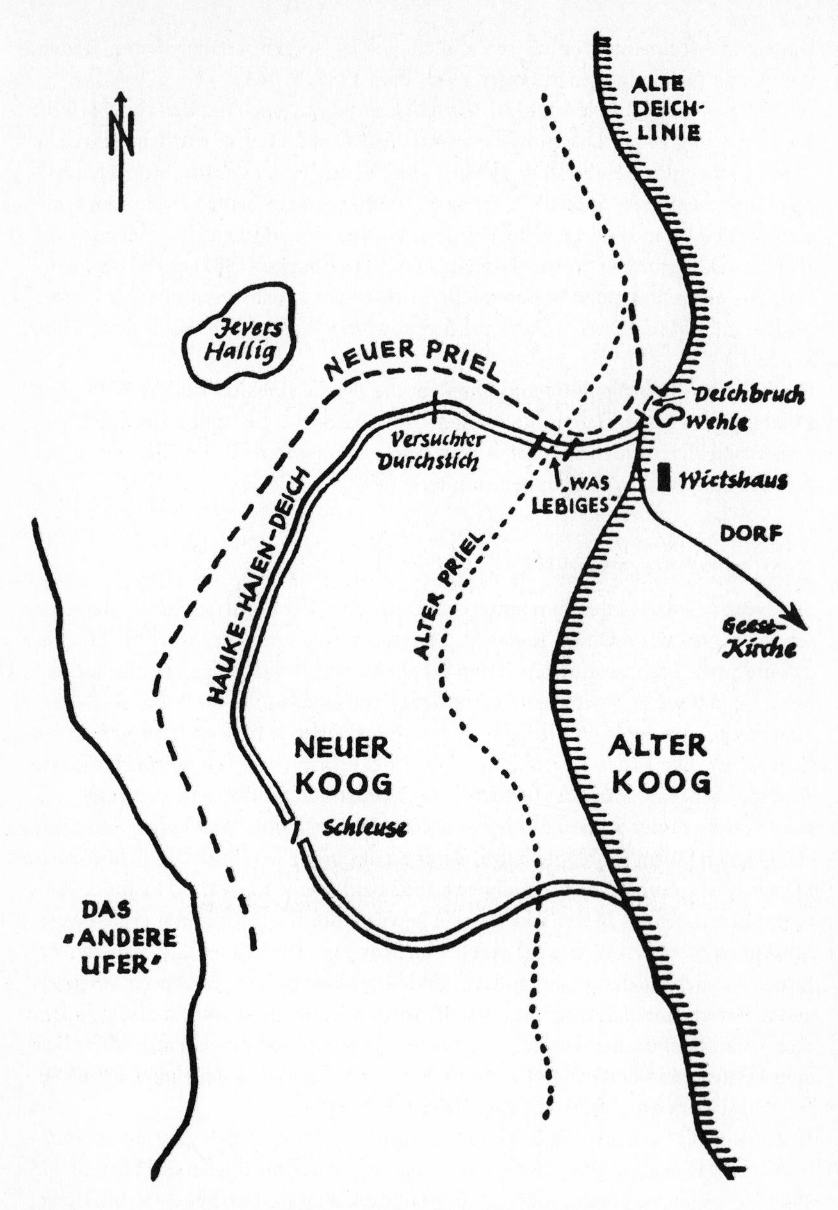

Der Schauplatz der Schimmelreiternovelle. Übersichtskarte nach den Angaben in der Novelle. (Entwurf: Dr. Karl Ernst Laage, Zeichnung: Schlenzig).

Landkarte des Husumer Kartographen J. Mejer aus Danckwerths „Landesbeschreibung“ von 1652 (Ausschnitt), die das Gebiet nördlich von Husum vor der großen Flut von 1634 darstellt; wahrscheinlich die Karte, auf die Storm sich Eckermann gegenüber am 10. 2. 1885 bezieht. Ein Vergleich mit den Angaben der Novelle führt zu der Vermutung, daß der Dichter bei der Ausarbeitung der Schimmelreiternovelle den „Nie Koog“ vor Augen gehabt hat.

(Karten und Bildlegenden entnommen aus:
Der Schimmelreiter. Sylter Novelle. Text, Entstehungsgeschichte, Quellen, Schauplätze, Abbildungen. Hg. v. Karl Ernst Laage. Heide/Westholstein: Verlagsanstalt Boyens & Co. [3]1987, S. 139, S. 142)

angefertigt, deren Vergleich mit Mejers alter Landkarte zeigt, daß der „neue Koog“ dem „Nie Koog“ auf Mejers Karte entspricht, und das ist der heutige „Hattstedter Neue Koog“. (Vgl. Laage, Schimmelreiter, S. 139 bzw. 143) Selbst die Koog-Größenangabe stimmt etwa mit der Wirklichkeit überein. Tatsächlich findet sich an der in der Novelle bezeichneten Stelle eine große Wehle, ein von einem Deichdurchbruch herrührendes Wasserloch hinter dem Deich. Und die Jevershallig der Novelle mag in Storms Gedanken die ehemalige Jakobshallig gewesen sein, die heute die Südecke des Cecilienkooges bildet.
Welche anderen Schauplätze werden in der Novelle noch angedeutet? Da ist vermutlich die Rede von der Hattstedter Kirche, die „droben auf der Geest“ (37/280) steht mit ihrem ‚aus Felsblöcken gebauten Kirchturm‘ (38/281), auch die Beschreibung des dortigen Friedhofs (59 f./299) stimmt mit den realen Verhältnissen überein. Der Lundenberg-Hof der Familie Iwersen-Schmidt scheint Modell für den Deichgrafenhof der Novelle gestanden zu haben. Das Wirtshaus „auf halber Höhe des Binnendeiches“ (6/253), in dem der Erzähler Zuflucht vor dem Unwetter sucht, ist identisch mit dem heutigen „Schimmelreiterkrug“ bei Sterdebüll, auch wenn die Novellenangaben in eine andere Himmelsrichtung weisen.
Laage und Holander nennen noch weitere kleinere Details, in denen sich die Realität und die Fiktion der Novelle vermischen. Wie bei der Gestalt des Deichgrafen, so hat Storm auch hier Fakten als Rohmaterial für seine Zwecke benutzt und frei gestaltet, und er hat damit der Novelle einen realistischen Charakter gegeben, ohne auf dichterische Distanz zur Wirklichkeit zu verzichten.

d) Die großen Sturmfluten

Die Geschichte Nordfrieslands ist vor allem eine Geschichte der Sturmfluten: „Nicht die politische, sondern die Landschaftsgeschichte setzte die wesentlichen Akzente, und die Daten, die sich dem Gedächtnis des Volkes eingeprägt haben, sind nicht die von Kriegsgängen und Thronwechseln, sondern die von Sturmfluten, Landverlusten und Landgewinnen, Schlachten, die gegen die See gewonnen oder verloren worden sind.“ (Holander 1976, S. 71)
Am 3./4. Februar 1825 erlebte Storm selbst eine sehr schwere Sturmflut. Diese richtete aber längst nicht jenen großen Schaden an wie die Marcellus-Flut im Januar 1362, die als „Grote Mandränke“ in die Geschichtsbücher einging und bei der auch der sagenumwobene Ort Rungholt in den Fluten begraben wurde. Auch läßt sich die Flut von 1825 nicht mit der Flutkatastrophe vom 11. Oktober 1634 vergleichen, die unermeßliche Landverluste und zwischen 8000 bis 15000 Todesopfer forderte. Storm bediente sich bei den Studien zum Komplex „Sturmfluten“ mindestens zweier Quellen:

1. *Anton Heimreich's Nord-Fresische Chronick*, gedruckt in Schleswig im Jahre 1666. Bereits 1668 erschien die zweite, erweiterte Ausgabe, die *Ernewrete Nordfresische Chronick*, die auch in Storms Nachlaß gefunden wurde. – Heimreichs Chronik gibt nicht nur Auskunft über das nordfriesische Amtswesen

und die Bedeichungsmaßnahmen, sondern auch über die bekannten Sturmfluten der Vergangenheit. Berichtet wird auch über die Flut des Jahres 1655, die im *Schimmelreiter* Erwähnung findet (124/353). Die fast wörtliche Übernahme von Sätzen aus der Chronik in den *Schimmelreiter* belegen eindrucksvoll folgende Beispiele:

Heimreich's Chronik	*Storms „Schimmelreiter"*
„An. 1653, den 1. Maij ist [...] ein groß geschmeiß einer sonderlichen art von fliegen fast wie ein schnee heruntergefallen, daß man nerlich die augen dafür hat können auffthun" (S. 325).	„Bald [...] begann man immer lauter von allerlei Unheil und seltsamem Geschmeiß zu reden, das die Menschen in Nordfriesland erschreckt haben sollte: [...] im Hochsommer fiel, wie ein Schnee, ein groß Geschmeiß vom Himmel, daß man die Augen davor nicht auftun konnte" (130/359).
„Wie auch An. 1636 [...] in des landschreibers behäusung ein sonderbahres blutzeichen ist geschehen, massen da er sich waschen wollen, er nicht allein zu unterschiedenen malen blut gefunden, sondern auch im handbecken 5 todtenköpffe gesehen, die theils wie ein erbs, theils etwas grösser gewesen" (S. 322).	„Nicht bloß Fliegen und Geschmeiß, auch Blut ist wie Regen vom Himmel gefallen; und da am Sonntagmorgen danach der Pastor sein Waschbecken vorgenommen hat, sind fünf Totenköpfe, wie Erbsen groß, darin gewesen" (131/360).

2. *Johann Laß: Sammlung einiger Husumischer Nachrichten*. Flensburg 1750 ff. – Storm, der Laß auch in seinen *Kulturhistorischen Skizzen* erwähnt (Werke 4, S. 467), bediente sich für den *Schimmelreiter* verschiedener Materialien der Sammlung, insbesondere des Berichts über die Weihnachtsflut von 1717, auf die auch in der Novelle angespielt wird – „Anno 17 hat es auch denen drüben gegolten" (8/255) –, und der Hinweise auf die Sturmflut vom 7. Oktober 1756, die in der Novelle den Untergang für Hauke Haien und seine Familie bringt. Laß schreibt über die Flut des Jahres 1756:

„Der 11te Sept. des 1751sten Jahrs ist annoch unvergessen, jedoch bleibt der 7 Octobr. dieses Jaars [1756] in mehrerem ja fürchterlicherm Andenken [...].
In Hinsicht der Stadt Husum, und derer auf der Nähe derselben belegenen Orter, und Halligen [...] bemerke folgende erschreckende Umstände.
Der Wind wehete an demselben Tag erstlich aus dem Westen, nachhero drehete selbiger sich nach Nord-Westen, und fing an dergestalt heftig zu werden, daß auch die aller älteste Leute dergleichen Sturm-Wind gehöret zu haben, sich nicht entsinnen können. [...]
So heftig dieser Sturm war, so heftig fing das Wasser an zu steigen. Die Wuht desselben war unbeschreiblich. Es schienen als wann die gethürmten Wellen des mit aller Macht brausenden Wassers auf einmahl Häuser und Keller umstürzen und anfüllen wollten. Des Nachmittags zwischen 1 und 2 Uhr waren die Wasser-Reihe, die Krämer-Strasse und die Gasse bey der Brücken völlig unter Wasser gesetzet. [...]
Die Hattstetter-Marsch brach durch und bekam eine Wehle von 7 Ruhten breit und 16 Ruhten tief [...]."
(Zit. nach dem Faksimile und Abdruck bei Laage, Schimmelreiter, S. 137 f.)

e) Motive der Novelle in Storms übrigem Werk

Zahlreiche Motive der *Schimmelreiter*-Novelle begegnen dem Leser auch in vielen Gedichten und Prosaarbeiten des Autors. Vor allem sind es die lokalen Motive – Husum, die Marsch, die Geest, das Meer – , welche immer wiederkehren.
Die Gewalt des Meeres, die im *Schimmelreiter* eine zentrale Rolle spielt, beschreibt Storm auch eindringlich in *Carsten Curator* (Werke 3, S. 63 ff.). Aus der Perspektive des Deichbaus wird das Meer in der Novelle *Der Herr Etatsrat* betrachtet. Während im *Schimmelreiter* das Meer stets das Gefühl einer Bedrohung vermittelt, erscheint es in der Erzählung *Eine Halligfahrt* als ein Ort der Ruhe und des Idylls. Zwar erinnert der Autor an das untergegangene Rungholt und an die Gewalt der Sturmfluten. Es werden Bilder sturmdurchpeitschter Novembernächte und wasserumtoster Warften wachgerufen (vgl. Werke 2, S. 303). Dennoch ist für den Dichter in dieser Novelle das Meer und seine Halligwelt ein sicherer Schutzort vor der verdorbenen Menschenwelt drüben auf dem Festland. Ein anderes *Schimmelreiter*-Motiv, der Tod durch Ertrinken – sowohl verursacht durch einen Unglücksfall als auch durch Selbstmord – , findet sich in etwa zehn Novellen Storms, angefangen bei *Auf dem Staatshof* über *Ein Doppelgänger* und *Carsten Curator* bis hin zu *John Riew'*. In der Novelle *Aquis submersus* ist diese Todesart sogar im Titel genannt.
Unheimliche und spukhafte Elemente und Motive, die im *Schimmelreiter* eine wesentliche Rolle spielen, weist auch das übrige Werk auf. Nicht nur die Märchen und Spukgeschichten, auch die Novellen sind angefüllt mit geisterhaften Erscheinungen und Geschichten: die farblos, knöcherne Todeshand in *Aquis submersus*, der Unheilbringer Jaspers in *Carsten Curator*, das fahlgraue Pferd und der schwarze Hund in *Renate*, das Bildnis der toten Frau in *Eekenhof*, die Gesichte in *Ein Bekenntnis* und das Pferd Falada in der *Chronik von Grieshuus*.
Wegen anderer Motivverwandschaften im Gesamtwerk, zu denken ist beispielsweise an das gründerzeitliche Aufsteigermotiv, sei auf die Ausführungen in Kap. 1.2 verwiesen.

f) Motivverwandte literarische Texte anderer Autoren

Je nach Schwerpunktsetzung – gespenstischer Reiter, Flut, Eindeichung – und individueller Interpretation wird man auf unterschiedliche Vergleichstexte in der Literatur stoßen. Unter dem Aspekt: Kampf des einzelnen gegen eine bestimmte Macht, wird bisweilen Kleists *Michael Kohlhaas* oder Cervantes' *Don Quijote* zum Vergleich herangezogen. (Vgl. Klein 1960, S. 296) Goethes *Erlkönig* zeigt sich verwandt hinsichtlich des Motivs vom gespenstischen Reiter. Das (Sturm-) Flut-Thema taucht in der Literatur in vielen Variationen auf. So schildert Storms Zeitgenosse Detlev von Liliencron den Untergang Rungholts in dem Gedicht *Trutz, Blanke Hans*, und in Jeremias Gotthelfs Erzählung *Die Wassernot in Emmental* (1838) wird von einer binnenländischen Überschwemmungskatastrophe berichtet, die nach schweren Gewittern ausbricht.

In dem Roman *Sturmflut*, welchen Friedrich Spielhagen 1877 veröffentlichte, wird der Bau einer Eisenbahnlinie auf der Ostsee-Insel Rügen geschildert. Ein Projekt, von dem sich die gründerzeitlichen Spekulanten und Großgrundbesitzer Gewinn versprechen, doch eine Sturm- und Flutkatastrophe zerstört die Hoffnungen. In diesem zeitaktuellen Roman der Bismarck-Periode kennzeichnete Spielhagen symbolhaft auch die soziale, geistige und moralische Verwüstung, die seiner Ansicht nach der Milliardensegen französischer Kriegsschulden nach Deutschland gebracht hatte.

Ausgehend von der Persönlichkeit Hauke Haiens, von der Handlung, dem Handlungsrahmen und -motiv, ist Goethes Dramenfigur Faust sicherlich am ehesten mit dem Deichgrafen Storms in Beziehung zu setzen. Goethes *Faust* war – neben Heines *Buch der Lieder* – das Zauberbuch, durch das sich dem jungen Storm die deutsche Dichtung erschloß (vgl. Werke 4, S. 489 u. 538). Während des Entstehungsprozesses des *Schimmelreiters* las Storm seiner Familie aus beiden Teilen des *Faust* vor (vgl. Brief an E.Schmidt, 30. März 1886), und er empfing Ende 1887 die Urfassung des Goethe-*Faust* in der Ausgabe von E. Schmidt (vgl. Briefe 2, S. 384). Das Goethe-Drama hat, so scheint es, auf die *Schimmelreiter*-Novelle eingewirkt. Wesentlich geht es um den vierten und fünften Akt des zweiten Teils der *Faust*-Tragödie.

Hier begegnet uns der tätige Faust, der Mephisto sein geplantes Wirkungsfeld erläutert. Er habe das Meer in seinen schier endlosen Bewegungen beobachtet und nun einen Bedeichungsplan gefaßt:

„Erlange dir das köstliche Genießen, / Das herrische Meer vom Ufer auszuschließen, / Der feuchten Breite Grenzen zu verengen / Und weit hinein sie in sich selbst zu drängen. / Von Schritt zu Schritt wußt' ich mir's zu erörtern; / Das ist mein Wunsch, den wage zu befördern!" (Faust II, 4. Akt, Vers 10227 bis 10233 der Reclam-Ausgabe)

Bislang erschien Faust als der Betrachtende, Aufnehmende, Genießende, nun ist er der Mann der gemeinnützigen Tat. Wie weit sein Werk gediehen ist, schildert zunächst eine Szene, in der Philemon und Baucis einem Wanderer die Veränderung der Landschaft erläutern. Wo einst bei Flut das Wasser wogte, seien jetzt grüne Wiesen, Gärten, Wald. Auch Häuser seien schon gebaut worden. Das Meer habe man durch Dämme und Deiche hinausgedrängt, ein Hafen sei entstanden (ebd., V. 11079 bis 11106).

Noch einmal tritt der erblindete, sterbende Faust auf. Als die Lemuren sein Grab schaufeln, deutet er es als Ausschachtungen für neue Entwässerungsgräben. Gefangen und überzeugt von seiner menschendienlichen Arbeit spricht Faust den Schlußmonolog, der geprägt ist von kühnen Perspektiven und dem Bekenntnis zum aktiven Wirken:

„Eröffn' ich Räume vielen Millionen, / Nicht sicher zwar, doch tätig-frei zu wohnen: / Grün das Gefilde, fruchtbar; Mensch und Herde / Sogleich behaglich auf der neusten Erde, / Gleich angesiedelt an des Hügels Kraft, / Den aufgewälzt kühn-emsige Völkerschaft. / Im Innern hier ein paradiesisch Land – / Da rase draußen Flut bis auf zum Rand, / Und wie sie nascht, gewaltsam einzuschießen, / Gemeindrang eilt, die Lücke zu verschließen. / Ja! diesem Sinne bin ich ganz ergeben, / Das ist der Weisheit letzter Schluß: / Nur der verdient sich Freiheit wie das Leben, / Der täglich sie erobern muß." (5. Akt, V. 11563 bis 11576)

2 Wort- und Sachkommentar

Die von Storm der ersten Buchausgabe von 1888 hinzugefügten Worterklärungen „für binnenländische Leser", sind im folgenden Wort- und Sachkommentar als Zitate gekennzeichnet. Für einige Erläuterungen waren die Kommentierungen von Laage (Schimmelreiter, S. 111 – 114) und von Hans Wagener (1976, S. 5 – 36) hilfreich.
Die Zahlen vor dem Schrägstrich weisen auf die Seitenzählung der benutzten Reclam-Textausgabe hin, jene hinter dem Schrägstrich auf die des Textes in der Goldammer-Werkausgabe, Band 4. Die Zeilenzählung bezieht sich nur auf die Reclam-Ausgabe.
Abkürzung: ndt. = niederdeutsch, plattdeutsch

3/251 — *3 Frau Senator Feddersen*: Elsabe Feddersen (1741 – 1829), Storms Urgroßmutter. – *7 ff. von den „Leipziger" oder von „Pappes Hamburger Lesefrüchten"*: vgl. Kap. 1.3.3 a, S. 21. – 26 „*Marsch*, dem Meere abgewonnenes Land, dessen Boden der festgewordene Schlick, der *Klei*, bildet" (Storm) – 27 *Wattenmeer*: „*Watten*, von der Flut bespülte Schlick- und Sandstrecken an der Nordsee" (Storm) – 29 *Hallig*: „kleine, unbedeichte Insel" (Storm)

4/252 — 23 *Harde*: Bezeichnung für einen Gerichts- und Verwaltungsbezirk, der im Durchschnitt etwa sechs Kirchorte umfaßte.

5/253 — 31 *Koog*: „Ein durch Eindeichung dem Meere abgewonnener Landbezirk" (Storm)

6/253 f. — 9 *Werft*: auch Werfte, Warf, Warfte; „Zum Schutze gegen Wassergefahr aufgeworfener Erdhügel in der Marsch, worauf die Gebäude, auch wohl Dörfer liegen" (Storm) – 10 *Binnendeich*: Deich innerhalb des Marschlandes zum Schutz des Landes bei Durchbruch des weiter vorgelagerten Außendeiches. Der Binnendeich kann ein früherer Seedeich (Außendeich) sein, der durch Neulandgewinnung im Binnenland liegt. – 28 *Is wull so wat*: ndt. für „ist wohl so (et)was".

7/254 — 1 *neben dem Friesischen*: Das Friesische ist eine westgermanische Sprache; sie wird noch heute an der niederländischen, deutschen und dänischen Nordseeküste gesprochen. Unterscheidung zwischen dem Nord-, Ost- und Westfriesischen. Zentrum des Nordfriesischen ist heute Bredstedt bei Husum. – 2 ff. *Diekgraf und Gevollmächtigten ... hoge Water*: Der Deichgraf und die Gevollmächtigten und welche von den anderen Interessenten! Es geht um's Hochwasser. – *Deichgraf*: als oberster Beamter des Deichverbandes für das Deichwesen verantwortlich; hochangesehenes Amt; in Nordfriesland Anfang des 17. Jhs. nach holländischem Vorbild eingerichtet; meistens von reichen Landbesitzern bekleidet. – *Gevollmächtigte*: Berater und Helfer des Deichgrafen; zumeist angesehene und reiche Landbesitzer, die von den Mitgliedern des Deichverbandes zur Interessenwahrnehmung gewählt wurden. – *Interessenten*: „die wegen Landbesitz bei den Deichen interessiert sind" (Storm) – 7 *Punschbowle*: Punsch ist ein Getränk, meistens heiß genossen, aus Rum, Zucker, Wasser, Tee, Zitrone. Tee und Zitrone fehlen oft.

8/255 — 1 *Anno 17*: Hinweis auf die Sturmflut von 1717.

9/256 — 14 *Sielsachen*: Entwässerungsfragen; ein *Siel* ist eine Art Schleuse im Deich zur Entwässerung der Marsch bei Ebbe. – 23 *Bussole*: Kompaß. – 24 *Seeuhr*: Uhrwerke, die trotz Schiffsschwankungen die genaue Zeit angeben. – 27 *Fenne*: „ein durch Gräben eingehegtes Stück Marschland" (Storm) – 32 *ritzen*: „reißen", d. h. zeichnen durch Auftragen von Linien und Punkten. – *prickeln*: stochern, stechen (hier: mit dem Zirkel).

10/257 — 9 *Euklid*: griech. Mathematiker (etwa 300 v. Chr.).

11/257 f. 6 *Ernst oder Schimpf*: Ernst oder Scherz. – 14 *ingleichen*: in gleicher Weise, auf gleiche Art. – 17 *Martini*: 11. November; benannt nach dem kath. Heiligen Martin von Tours (316 – 400); Martinstag im bäuerlichen Leben als Abschluß der Erntezeit oft ein Festtag.

12/259 36 *das Wunderkind aus Lübeck*: Christian Heinrich Heinecken (1721 – 1725), der nur vier Jahre alt wurde, aber über ein außergewöhnliches Wissen verfügt haben soll.

13/259 f. 6 *Schrot*: ein Stück. – 22 *Haf*: oder Haff; „das Meer" (Storm). – 24 *Allerheiligentag*: kath. Feiertag am 1. November. – *Äquinoktialstürme*: häufig während der Zeiten der Tag- und Nachtgleiche (etwa 21. März und 23. Sept.) auftretende Stürme. – 27 *Springfluten*: „die ersten nach Voll- und Neumond eintretenden Fluten" (Storm)

14/260 f. 5 *Rohrdach*: Dach aus Schilfrohr. – 7 *Kleierde*: vgl. 3,26/251 und 18,15/264. – 10 *Unschlittkerze*: Talglicht. – 13 *Schiefertafel*: Schreibtafel aus Schiefer. – 14 *Profil*: „das Bild des Deiches bei einem Quer- oder Längenschnitt" (Storm) – 30 *Seeteufel*: ein bis zu zwei Meter langer Fisch mit großem Rachen; lebt an den europäischen Küsten; gemeint ist hier vermutlich ein Phantasiegebilde. – 32 *gnidderschwarz*: tiefschwarz.

15/261 19 *Wattströme:* Wasserläufe in den Watten; vgl. *Priel* (69,20/307).

16/262 9 *Pull*: Haarschopf, Grasbüschel, Baumkrone. – *Seegras*: grasähnliches Gewächs des seichten Meerwassers.

17/263 25 *eingesegnet*: konfirmiert. – 31 *Kate*: Bauernhütte, ohne landwirtschaftlichen Besitz.

18/264 8 *Geest*: „das höhere Land im Gegensatz zur Marsch" (Storm), oft Sand- und Heideboden. – 11 *Strandläufer*: schnepfenartige Vogelart; Ordnung der Regenpfeifer. – 15 *Schlick*: „der graue Ton des Meerbodens, der bei der Ebbe bloßgelegt wird" (Storm) – 19 *Sandlager*: sandbankartige Stellen.

19/264 f. 4 *fürbaß*: veraltet für „weiter". – 26 *Porrenfangen*: Porre = Krabbe, Garnele.

20/266 25 *Triftweg*: auch Driftweg; Weg zur Weide.

21/266 21 *kein Lebigs mehr*: nichts Lebendiges mehr.

22/267 9 *Krontaler von Christian dem Vierten*: Münze aus der Zeit des dän. Königs Christian IV. (1588 – 1648). – 15 *Racker*: Abdecker, Schinder. – 21 *Bettbühr*: Bettbezug.

23/268 25 *die schwarze Tabaksjauche*: vom Kauen des Priems oder Kautabaks im Mund mit Speichel vermischte Rückstände. – 32 *Met*: Honigwein.

24/269 16 *Tabaksknoten*: ein Kloß oder Klumpen Kautabak.

25/270 25 *Dirne*: ndt. Deern = Mädchen. – 31 *dösig*: stumpfsinnig, einfältig; auch schläfrig.

26/270 f. 8 *schlanterig*: schlotterig, unentwickelt, schlaksig. – 16 *glasurt*: mit einer Glasur versehen. – 25 *Pesel*: „ein für außerordentliche Gelegenheiten bestimmtes Gemach, in den Marschen gewöhnlich neben der Wohnstube" (Storm) – 28 *schlagflüssig*: zum Schlagfluß oder Schlaganfall neigend.

27/272 24 *gebörnt*: getränkt.

30/274 21 *Uns' Weert*: ndt. für „unser Wirt". – 31 *Trense*: leichter Pferdezaum.

32/276 15 *Binnenweg*: Landweg innerhalb des eingedeichten Marschlandes. – 35 *künstlichen Strumpf*: künstlerischer, kunstvoller Strumpf.

33/276 f. 2 *Frühlingsschau*: Deichschau oder Deichbesichtigung gab es mindestens zweimal im Jahr, im Herbst und im Frühling nach den Winterstürmen. – 4 *gebuscht*: gemäht. – 23 *Dossierung:* „(oder Böschung), die Abfall-Linie des Deiches" (Storm) – 32 *Brüche*: ndt. „Brök", Geldstrafe wegen Gesetzesbruchs.

34/277 7 *Oberdeichgraf*: studierter Beamter; Repräsentant der Landesverwaltung in Deichfragen. – 15 *Bestickung*: „Belegung und Besteckung mit Stroh bei frischen Deichstrecken“ (Storm)

35/278 7 *nicht den gehörigen Klei unter den Füßen*: nicht genug Land besitzen. – 10 *Demat*: auch Demath; „ein Landmaß in der Marsch“ (Storm); vom Wort „Tagesmahd“, d. i. etwa die Fläche, welche ein Mann an einem Tag mit der Sense abmähen kann; ca. $^{1}/_{2}$ Hektar. – 17 *Halbstieg*: altes Zählmaß (10); ein „Stieg“ ist eine Menge von 20.

36/279 5 *Furke*: Forke, Mist- und Heugabel. – *Raufen*: Futterleitern in Kopfhöhe der Tiere.

37/280 8 *Eisboseln*: auch Eisbosseln; an starken Frosttagen ausgeübter Wettkampf im Weitwurf von schweren Holzkugeln, die einen Bleikern haben. Vermutlich aus Holland im 17. Jh. eingeführt. Noch heute in Schleswig-Holstein beliebt. – 21 *Obmann*: Schiedsrichter. – 33 *Kirchspielkrug*: Wirtshaus in einem Pfarrbezirk, einem Kirchspiel.

38/281 15 *soll er sich den Mund wischen*: er wird abgewiesen.

39/282 16 *herauskreteln*: jemand herausreden, sich für eine Person einsetzen.

40/282 17 *Heck*: Holztor als Zugang zu den Fennen.

42/284 6 *Bummeis*: auch Windeis; dünnes Eis auf den Wiesen, unter dem das Wasser abgelaufen ist. – 13 *Soll Hauke wo geflickt werden?*: Wird ihm etwas ans Zeug geflickt? Bekommt er Schwierigkeiten? – 18 *Gallimathias*: eigentl. Galimathias (frz.); verworrenes Gerede.

44/286 23 *ein halb Stieg Fuß*: Fuß ist ein altes Längenmaß; Länge landschaftlich verschieden; im Norden ca. 28 bis 30 cm; ein halb Stieg Fuß sind ca. 3 Meter.

46/288 28 *Gildesaal*: Gesellschafts- oder Festsaal.

50/291 12 *rückwärts*: auf dem Rückweg.

52/293 11 *Wandbett*: vgl. 112,19/343.

54/294 f. 21 *Herbstschau*: vgl. 33,2/276. – 32 *verspillen*: vergeuden, verschwenden.

55/295 11 *Südwester*: großer breitkrempiger Seemannshut aus geölter Leinwand. – 14 *Bruch*: Bruchstelle des Deiches.

56/296 18 *Grog*: beliebtes norddeutsches Getränk aus Rum, Zucker und heißem Wasser.

59/299 14 *Traupfennig*: Traugebühr, die der Pastor vom Bräutigam erhielt. – 24 *große Leiche*: angesichts der Stellung des Toten gab es eine große Beerdigung. – 31 *Dat is de Dod...*: ndt. „Das ist der Tod, der alles frißt / Nimmt Kunst und Wissenschaft (von) dir mit, / Der kluge Mann ist nun vergangen, / Gott geb' ihm ein seliges Auferstehen.“

60/299 f. 2 ff. *Volkert Tedsen... Tede Volkerts*: Da es bei den Friesen bis ins 18. Jh. hinein kaum feste weiterzugebende Familiennamen gab, wurde der Nachname des Sohnes vom Vornamen des Vaters abgeleitet. Hier z.B.: Großvater: Tede...; Vater: Volkert Tedsen; Sohn Tede Volkerts. – 21 *Langkork*: Flasche Wein mit langem Korken; guter Wein oder Sekt. – 24 *Leichenfuhr*: Leichenzug.

61/300 f. 14 ff. *der Spiegel zwischen...*: In vielen Teilen Deutschlands gab es eine alte Sitte, bei Todesfällen Spiegel und andere blinkende Gegenstände zu verhängen. Begründet wurde dieses unterschiedlich: Der Tote bleibt im Hause, wenn er sein Spiegelbild sieht; die Spiegelung des Toten kündigt eine zweite Leiche an; der muß sterben, der sich im Totenzimmer in einem Spiegel sieht.– *Beilegerofen*: Ofen in der Wohnstube, der durch eine Wandöffnung von der Küche her geheizt wird. – 24 *Hest du din Dagwerk*: ndt. „Hast du dein Tagwerk richtig getan, dann kommt der Schlaf von selbst heran." – 30 *Ringreiten*: heute noch populäres Wettkampfspiel zu Pferde; Ziel ist es, im Galopp einen kleinen, an einem Seil hängenden Ring mit einem hölzernen, mit einer Eisenspitze versehenen Speer herunterzuholen.

62/301 11 *nichts versehen*: nichts verkehrt gemacht.

67/305 17 *hinterspinnig*: hinterhältig.

68/306 f. 15 *Osterschleuse*: die östliche Schleuse. – 30 *Hafdeich*: Seedeich, äußerer Hauptdeich. – 35 *Vorland*: „der Teil des Festlandes vor den Deichen" (Storm)

69/307 20 *Priel*: „Wasserlauf in den Watten und Außendeichen" (Storm)

73/311 18 *Hahnenkraht*: Hahnenschrei.

77/314 7 *Böte*: Boote. – 9 *Torfringel*: Zum Trocknen werden die Torfstücke ringförmig zu hohen Haufen geschichtet.

80/317 25 *Kiewiet*: ndt., auch Kiewitt; Kiebitz.

81/318 31 *Wallach*: kastrierter Hengst.

82/318 21 *Warmbier*: in Schleswig-Holstein als Frühstück oder Abendspeise genossene Biersuppe mit Zutaten (Brot, Zucker, Sirup).

84/319 3 *Kracke:* ndt., altes elendiges Pferd.

85/320 2 *Priesterhandel*: vorteilhafter Handel.

88/324 34 *so breit ... lang war*: vermutlich aus Hamburg stammende Redensart, wo um 1600 ein Laurentius Damm angeblich einen Sohn hatte, der mit 14 Jahren etwa 2,80 m groß gewesen sein soll.

91/326 12 *Stellmacher*: Wagenbauer. – *verdingen*: in Auftrag geben. – 16 *Fuder*: Wagenladung.

98/331 10 *Wehmutter*: Hebamme.

99/332 f. 18 *Warmkorb*: Korb mit eiserner Platte in der Mitte, auf der ein Behälter mit Kohlen stand; benutzt wie eine Wärmflasche. – 25 *Konventikel*: private religiöse Versammlung. – 30 *separatistisches Konventikelwesen*: vgl. Kap.4.4.

102/335 10 *Kajedeich*: kleinerer Behelfsdeich, auch *Interimsdeich* (vgl.103,6/336) genannt; wird vorübergehend errichtet, um andere Arbeiten ungehindert von der Flut durchführen zu können.

108/340 34 *Avosette:* Säbelschnäbler (Sumpf- und Küstenvogel).

109/341 2 *Geknorr*: lautmalerischer Ausdruck für das Geschrei der *Rottgänse* (Ringelgänse). – 17 *Karriole*: leichtes, zweirädriges Fuhrwerk. – 22 *Akt*: schräge Auffahrt zum Deich.

111/342 8 *die bisher nur ... verwandeln*: Jeder Marschbauer besaß je nach Größe seines Landbesitzes und den damit verbundenen Deichlasten „ideale" Anteile an dem neugewonnenen Koogland. Die „wirkliche" oder tatsächliche Verteilung erfolgte erst drei Jahre später, weil dann der Boden qualitätsmäßig beurteilt werden konnte. – 10 *eigentümlich*: als Eigentum.

112/343 19 *Gardinenbett*: Wandbett, Alkoven; in die Wand eingelassene Bettstelle, die vom Zimmer durch Gardinen, Vorhänge oder Schiebetüren abgetrennt ist.

116/347 10 *Hochflut*: höchster Stand des Wassers bei normaler Flut.

120/350 3 *Demant*: Diamant. – 26 *Großohm*: Großoheim = Bruder der Großeltern.

122/352 18 *Marschfieber*: fiebrige Erkrankung; angeblich verursacht durch die Ausdünstungen des erwärmten Marschbodens.

124/353 1 *Lahnungen*: „Zäune von Buschwerk, die zur besseren Anschlickung vom Strande in die Watten hinausgesteckt werden" (Storm)

127/356 1 *hohl Ebbe*: bei NO-Wind auftretender niedrigster Wasserstand der Nordsee. – 23 *Rute*: altes deutsches Längenmaß, ca. 3,76 m.

129/358 17 *Kimmung*: Horizont, Sehgrenze, Luftspiegelung. – 26 *das hippokratische Gesicht*: benannt nach dem griech. Arzt Hippokrates (gest. 377 v. Chr.), der die Anzeichen des nahenden Todes in den Gesichtszügen eines Sterbenden beschrieb.

130/358 f. 4 *Hölp mi...!*: Hilf mir! Hilf mir! Du bist ja auf dem Wasser ... Gott gnade den anderen (= Gott sei den anderen gnädig)! – *bawen*: ndt. für oben, über, auf. – 24 *Geschmeiß*: Ungeziefer; gemeint sein könnte eine oft massenhaft auftretende Insektenart, die unter den Namen Augustfliege, Uferaas oder Weißwurm bekannt ist. – 26 *Lätare*: dritter Sonntag vor Ostern.

131/360 20 *Blut ist ... gefallen*: Derartige Erscheinungen, wie rötliche Färbung des Regens, können auftreten, sind aber auf natürliche Ursachen zurückzuführen (z. B. rötlicher Staub in der Luft, rote Algen am Boden, die den niedergekommenen Regen verfärben); im Volksaberglauben als Vorzeichen nahenden Unheils gedeutet.

132/361 19 *Luken*: Fenster, auch Fensterläden.

134/362 2 *Tenne*: Dreschplatz im Bauernhof.

139/367 30 *ordinieren*: anordnen, befehlen.

3 Struktur des Textes

3.1 Der Rahmenbau der Novelle

Die *Schimmelreiter*-Novelle gehört mit ihrer komplizierten Rahmenkonstruktion zu den besonders kunstvoll gestalteten Prosaarbeiten Storms. Strukturelle Merkmale der Novelle sind ein doppelter Rahmen und ein äußeres drittes Rahmenfragment, sind drei Erzähler und drei Zeitebenen. Diese Mehrschichtigkeit dient dem Autor zu verschiedenen Zwecken. So wird durch den Wechsel in der Erzählperspektive, durch den mehrfachen Rückgriff auf vertrauenswürdige Erzähler, die Distanz des Dichters zum Stoff erhöht und der Überlieferung ein Schein von Echtheit und Kontinuität verliehen. Das subjektiv Berichtete wirkt zunehmend objektiver und hat schließlich fast historischen Charakter.
Die Rahmenerzählung wird dazu genutzt, zeitbezogene und kritische Aspekte einzufügen, auch das Ineinander von natürlichen und übernatürlichen Vorgängen zu zeigen, jedoch ebenso die Grenzen zwischen Gegenwart und Vergangenheit, zwischen Phantasie und Wirklichkeit zu verwischen. Der verunsicherte Leser muß autonom entscheiden, was er für Realität halten soll. Auf eine Erzählung zwischen Realität und Phantasie deutet der Novellentitel hin, weil sich eine von Allegorien und Symbolen geprägte Assoziationskette von „wilden", „schwarzen" und „unheimlichen" Reitern geradezu aufdrängt.
Die *Schimmelreiter*-Novelle beginnt mit dem Bericht eines dem Autor nahestehenden Erzählers 1, der durch den Hinweis auf die Frau Senator Feddersen als der Autor selbst identifizierbar ist. Der kurze einstimmende Bericht bildet das äußere Rahmenfragment in der Rahmenkonstruktion. Es ist kein wirklicher dritter Rahmen, wie viele Interpreten unzutreffend behaupten (vgl. Alt 1976, S. 19; Böttger 1958, S. 356; Faigel 1980, S. 26), da das Fragment am Schluß der Novelle nicht zu einem vollständigen Rahmen geschlossen wird. Der Erzähler 1 tritt nur dieses eine Mal vor den Leser und erklärt in präsentischer Form, er habe die nachfolgende Erzählung vor mehr als „einem halben Jahrhundert" (3/251) in einem Zeitschriftenheft gelesen, und sie habe einen so starken Eindruck hinterlassen, daß er sie „niemals aus dem Gedächtnis verloren habe" (ebd.). Er gebe die Geschichte wieder, wie er sie damals kennengelernt habe, könne sich aber nicht für „die Wahrheit der Tatsachen verbürgen" (ebd.). Die Problematisierung des Realitätsgehalts läßt ‚ungewöhnliche' Begebenheiten erwarten.
Die Funktionalisierung der Erinnerung ist ein wiederkehrender Bestandteil im Prosawerk Storms, so, als sei nur lohnend, „von dem zu erzählen, was das innere Vorstellen seit langem beschäftigt hat und im Wechsel der Zeiten als lebendiges Bild weiterwirkt" (Böckmann 1968, S. 85; vgl. auch Laage 1958, S. 17 – 39).
Mit diesem ‚Vorwort' betont Storm gegenüber seinen Lesern einerseits die zeitliche Distanz zum erstmaligen Lesen der Geschichte, andererseits unterstreicht er, mit welcher Frische sie im Gedächtnis geblieben ist. Der Erzähler 1 erregt damit nicht nur die Aufmerksamkeit, sondern erhöht auch die Spannung, zumal der

gealterte Erzähler noch heute den „Schauer" fühlt, als streiche die „linde Hand" der Urgroßmutter wie damals, als er die Geschichte las, über sein Haar (vgl. 3/251). Nach dieser Einstimmung auf die eigentliche Geschichte entfernt sich der Erzähler 1, ohne noch einmal aufzutreten.
Bis zur Binnenerzählung ist der Leser damit noch nicht vorgedrungen, denn dem äußeren Rahmenfragment folgt die mittlere Rahmenerzählung, in der der Erzähler 2, der vom Erzähler 1 erinnerte Zeitschriftenerzähler, in Ich-Form von seinem Ritt auf einem nordfriesischen Deich berichtet, den er an einem Oktobernachmittag „im dritten Jahrzehnt unseres Jahrhunderts" (3/251) – also um 1830 – unternahm. Er gelangt an diesem Tag nicht bis zu seinem Ziel. Starkes Unwetter und die bereits hereinbrechende Dämmerung lassen ihn Zuflucht in einem Wirtshaus am Deich suchen.
Alles in diesem Teil der Rahmenerzählung knüpft die Fäden zu der dann folgenden Binnenerzählung und stimmt auf sie ein. Es besteht „vollständige Motivgleichheit mit dem eigentlichen Erzählvorgang der Novelle" (Wittmann 1961, S. 87). Die weite Deichlandschaft und das Tosen von Wind und Wasser, die eindrucksvollen Naturbilder, die Einsamkeit des Reiters, die unwirkliche, stumme Begegnung mit einer dunklen Gestalt auf einem Schimmel, das plötzliche Verschwinden dieser Erscheinung an einer ehemaligen Bruchstelle des Deiches: Alle Dinge stehen in unmittelbarem Zusammenhang mit der Erzählung vom Leben des Hauke Haien.
Der Erzähler 2 trifft im Wirtshaus auf den Deichgrafen und die Deichgevollmächtigten, die sich wegen der drohenden Sturmflut versammelt haben. Auch in dieser Szene deuten viele Dinge auf die Binnenerzählung voraus: die Rolle der Deichverantwortlichen, der Hinweis auf die Gefahr brechender Deiche, die Anspielung auf die unsicheren Deiche „an der andern Seite", die „meist noch mehr nach altem Muster" gebaut sind (7/254). Derartige Verzahnungen zwischen den Erzähl- und Zeitebenen, wie sie vielfach zu beobachten sind, verwischen die Umrisse der Wirklichkeit und fordern den Leser zum Mitdenken heraus. Der Erzählanlaß für den Erzähler 3 wird durch den Bericht des Reiters (Erzähler 2) von seiner seltsamen Begegnung auf dem Deich vorbereitet: „ [...] ich bemerkte plötzlich, daß alles Gespräch umher verstummt war. ‚Der Schimmelreiter!' rief einer aus der Gesellschaft, und eine Bewegung des Erschreckens ging durch die übrigen." (7/255) Storm steigert hiermit die Lesemotivation und die Neugierde des Erzählers 2, zumal der Deichgraf die gespenstische Erscheinung als Warnsignal für einen bevorstehenden Deichbruch deutet. Die Reaktion des Erzählers 2: „Mich wollte nachträglich ein Grauen überlaufen." (8/255) Seine Frage, was es denn mit dem Schimmelreiter auf sich habe, leitet über zur Binnenerzählung.
Als Erzähler wird vom Deichgrafen der anwesende Schulmeister empfohlen, allerdings mit einer Einschränkung: Der Schulmeister, so der Deichgraf, erzähle die Geschichte „in seiner Weise und nicht so richtig, wie zu Haus meine alte Wirtschafterin Antje Vollmers es beschaffen würde" (8/255). Es gibt also, das erfährt der Leser, Varianten der Schimmelreitergeschichte, beispielsweise die des Schulmeisters aus der Perspektive des Aufklärers und die der Antje Vollmers – volks-

naher und ursprünglicher. Dann beginnt der Schulmeister, der Erzähler 3, mit der Binnenhandlung, die den Leser noch einmal fast 100 Jahre weiter zurück in die Vergangenheit führt, in die Zeit um 1750. Während der Erzählung des Schulmeisters wird wiederholt die Verflechtung von Rahmen- und Binnenhandlung bewußt gemacht. Das geschieht immer dann, wenn der Schulmeister seinen Erzählfluß unterbricht, sich seinem Gegenüber, dem Reisenden, zuwendet, und das aktuelle Geschehen am Erzählort in diesen Erzählpausen gegenwärtig wird. Das gibt der Beziehung zwischen Rahmen- und Binnenerzählung in der Widerspiegelung der jeweiligen Vorgänge einen eigenartigen Reiz und eine merkwürdige Spannung. Wie die Strukturskizze zeigt, gibt es fünf Unterbrechungen in der Binnenerzählung. Es sind retardierende Momente, die einerseits spannungsverstärkende Wirkung haben, andererseits Gelenkstellen der Haupthandlung – der Binnenerzählung – anzeigen.

3.2 Die Binnenerzählung – Aufbau und Unterbrechungen

Die Lebensgeschichte Hauke Haiens, die der Schulmeister erzählt, ist zugleich die Geschichte von der Planung und Durchführung eines Deichbauprojekts, das die Bevölkerung eines Marschendorfes an der nordfriesischen Küste aus dem gewohnten Lebensrhythmus reißt und Ängste, Aggressionen und irrationale Denkweisen freisetzt.

Der Handlungsstrang orientiert sich an Hauke Haien. Alles Geschehen steht im Zusammenhang mit seiner Person. Der Schulmeister verfolgt konsequent den Weg Haukes vom Kind und Jugendlichen zum Ehemann und Vater auf der einen Seite, vom Kleinknecht zum Deichgrafen, Deichkonstrukteur und Deichbauer auf der anderen Seite. Der Leser erlebt – wie in einem Entwicklungsroman – den Werdegang eines Menschen und dessen Aufstieg. Dann aber erfolgt – anders als im Entwicklungsroman, in dem der Held zu Reife und einem Stand von Vollkommenheit gelangt – sein Abstieg und sein Scheitern.

Der Schulmeister, der weder Zeit- noch Augenzeuge des Lebens Hauke Haiens war, tritt dennoch, dank seiner erworbenen Informationen, wie ein nahezu allwissender Erzähler auf. Er erzählt die Geschichte nicht zum ersten Mal und beweist daher eine souveräne Übersicht über den Handlungsverlauf. Er macht Vorausdeutungen, wechselt die Schauplätze, berichtet über weite Strecken in der wörtlichen Rede. Er verhält sich so, als hätte er die Worte der agierenden Person selbst gehört und noch präzise im Gedächtnis. Der Gebrauch der direkten Rede bestärkt den Leser im Gefühl, der Bericht sei authentisch und gut recherchiert. Häufig vermittelt der Erzähler sogar den Eindruck, als kenne er auch die innersten Gedanken der handelnden Personen.

Der Schulmeister-Bericht über Kindheit und Jugend Haukes wird schon nach kurzer Zeit unterbrochen. Diese Unterbrechung (U_1) erfolgt dort, wo die Rede ist von Haukes Lerneifer und seiner Begegnung mit den Lehren des Euklid. Mit dem kommentierenden Hinweis auf die reale Gestalt Hans Momsen durchbricht der

Übersicht zur Struktur der Novelle

Erzähler	*Zeit*	*Erzählinhalt/Perspektive*	*Seitenangabe*
1	um 1888	Erinnerung	3/251
2	um 1830	Bericht des Reisenden	3 – 9/251 – 256
3	um 1750	Beginn der Binnenerzählung	9 – 10/256 – 257
2+3	um 1830	1. Unterbrechung	10 – 11/257
3	um 1750	Fortsetzung der Binnenerzählung	11 – 16/258 – 262
2+3	um 1830	2. Unterbrechung	16 – 17/262 – 263
3	um 1750	Fortsetzung der Binnenerzählung	17 – 55/263 – 295
2+3	um 1830	3. Unterbrechung	55 – 56/295 – 296
3	um 1750	Fortsetzung der Binnenerzählung	56 – 74/296 – 312
2+3	um 1830	4. Unterbrechung	74 – 75/312
3	um 1750	Fortsetzung der Binnenerzählung	75 – 129/312 – 358
2+3	um 1830	5. Unterbrechung	129/358
3	um 1750	Fortsetzung der Binnenerzählung	129 – 144/358 – 370
2+3	um 1830	Abschlußgespräch Schulmeister/Reisender	144 – 146/370 – 372
2	um 1830	Schlußworte des Reisenden	146/372

Strukturskizze

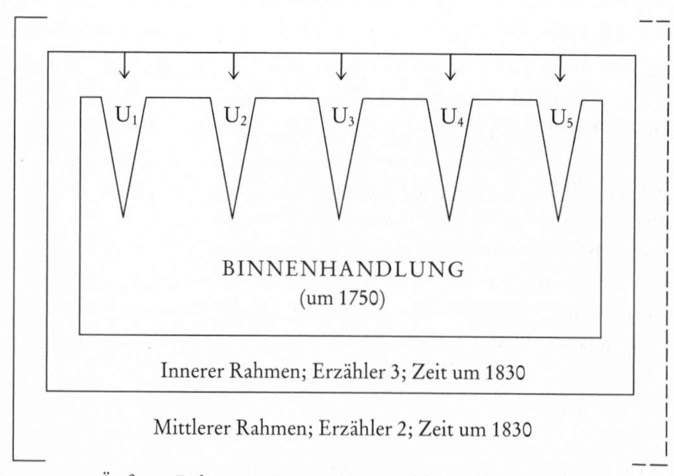

Schulmeister für einen Augenblick die Fiktion und bringt Authentisches in den Erzählvorgang ein. Der Fiktion wird von ihm sogar bewußt Authentizitätsgehalt verliehen, wenn er Mommsen (=Schreibweise im *Schimmelreiter*) und Hauke wie zwei reale Personen miteinander vergleicht: „es braucht nur einmal ein Größerer zu kommen, so wird ihm alles aufgeladen, was in Ernst oder Schimpf seine Vorgänger einst mögen verübt haben" (11/257).
Der Erzähler 3 setzt dann seinen Bericht über den jungen Hauke fort. Dessen Begegnung mit der Küstenlandschaft und dem Meer wird geschildert, auch die erste Vision imaginärer Spukgestalten, die aus Watten und Wasser steigen. An dieser Stelle (16 f./262 f.) unterbricht der Schulmeister ein zweites Mal (U_2). Er deutet an, daß es Dinge auf Erden gebe, für die nur schwer eine Erklärung zu finden sei. In diesem Augenblick mischt sich das reale Geschehen mit der Fiktion und dem Phantastischen in der Binnenerzählung, als allen Anwesenden in der Gaststube so ist, als sähen sie den Schimmelreiter draußen vorbeireiten. Winfried Freund deutet solche Unterbrechungen als Versuch des Erzählers, „einem allzu übermächtigen Einfluß der spannungsgeladenen Geschichte" (Freund 1984, S. 41) entgegenzuwirken. Im Gegensatz zu ihm meine ich jedoch, daß, wie hier, ein zusätzliches Spannungsmoment durch das heftige Einwirken der Rahmenrealität auf die Binnenerzählungs-‚Realität' erzeugt wird.
Nach dieser merkwürdigen Episode konzentrieren sich die Zuhörer wieder auf den Schulmeister, und dieser fährt mit der Hauke-Haien-Lebensgeschichte fort. Im Vergleich zu den vorherigen Erzählabschnitten ist der Abstand zur dritten Unterbrechung (U_3) relativ lang. Entsprechend lang ist auch der erzählte Zeitraum, und die Unterbrechung erfolgt an einem Punkt, als der weitere Entwicklungsverlauf in Haukes Biographie vorgezeichnet und absehbar scheint, auch wenn Unsicherheitsfaktoren mitschwingen. Auf der einen Seite spricht alles für den Aufstieg zum Deichgrafen, so seine einflußreiche Position beim alten Deichgrafen, seine Anerkennung bei vielen Dorfbewohnern, seine erwiderte Liebe zur Deichgrafentochter Elke; auf der anderen Seite gibt es auch unterschiedlich motivierte Anzeichen von Feindschaft und Abneigung gegen ihn.
Der Erzähler hält zum dritten Male inne, weil es draußen plötzlich unruhig wird. Ein Mann tritt ein und berichtet, daß man gesehen habe, wie der Schimmelreiter sich in den Bruch gestürzt habe (55/295). Dieses sei dort geschehen, wo der Hauke-Haien-Koog beginne. Als unheilvolle Kunde wird der Bericht vom Deichgrafen gedeutet. Für ihn und die anderen Gevollmächtigten ist dies Anlaß, sich an Ort und Stelle von den Deichschäden zu überzeugen. Sie begeben sich hinaus.
Die Schimmelreiter-Erscheinung – Anlaß für die Erzählung des Schulmeisters – ist offenbar sehr real. Ob Realität oder Phantasie, das bleibt dem Leser überlassen, kennt er doch von der *Schimmelreiter*-Erzählung erst Bruchstücke. Auch hört der Leser an dieser Stelle erstmals (!) vom Hauke-Haien-Koog, ohne daß ihm Näheres von dessen Historie bekannt ist. Zwei Gründe sind es also, auf eine schnelle Fortsetzung des Schulmeister-Berichts zu hoffen.
Aber der Lehrer, nunmehr mit dem Reisenden allein in der Gaststube, läßt sich Zeit und dehnt die Spannung. Die plötzliche Leere und Kühle des Raumes veran-

laßt ihn, den Reisenden in die Giebelstube des Hauses zu bitten. Der Erzählort wird gewechselt. Vor dem Fortgang der Geschichte macht man es sich bequem. Der Reisende nimmt in einem Lehnstuhl Platz, der Schulmeister heizt den noch glimmenden Ofen auf, in einem Blechkessel wird Wasser für ein Gläschen Grog aufgesetzt. Der Leser darf es als Aufforderung verstehen, ein Gleiches zu tun. Dann kann die Geschichte bis zu ihrem dramatischen Höhepunkt weitererzählt werden.

Ohne Ablenkung durch das Geschehen ringsum – die Fenster sind, vermutlich wegen des Sturmes, mit dunklen Wollteppichen verhängt – ist ein Erzählen und Zuhören in äußerster Konzentriertheit möglich. Eine nicht beweisfähige Unterstellung wäre es, die Verlegung des Erzählortes als berechnenden Versuch des Schulmeisters sehen zu wollen, *seine* Version der Hauke-Haien-Geschichte unbehelligt von äußeren Einflüssen und möglichen Einwänden anderer Kenner des Stoffes zur Geltung bringen zu können.

Der folgende Erzählabschnitt umfaßt etwa zehn Jahre in Haukes Leben. Dank seines Könnens und glücklicher Umstände (Heirat, Vermehrung des Landbesitzes) gelingt Hauke der Aufstieg zum Deichgrafen. Die Geschichte könnte damit beendet sein, aber das in Umlauf gekommene böse Wort von Ole Peters, er sei nur Deichgraf „seines Weibes wegen“ (67/306) geworden, trifft Hauke tief. Trotz, Selbstachtung und Ehrgeiz lassen ihn ein neues Ziel erdenken, nämlich die Eindeichung eines großen, neuen Kooges. Die Planung des gewaltigen Vorhabens bestimmt den weiteren Verlauf dieses Erzählabschnittes. Mit der Expedierung der Eingabe an den Oberdeichgrafen zwecks Befürwortung der Pläne endet der Abschnitt durch die Unterbrechung (U_4) des Schulmeisters (74/312).

Die Pause in der Erzählung deckt sich mit dem Warten auf die Antwort des Oberdeichgrafenamtes. Es scheint sicher, daß Haukes Pläne genehmigt werden. Die Spannung konzentriert sich auf die Frage, wie Hauke die zu erwartenden Auseinandersetzungen zwischen ihm und Teilen der Dorfbevölkerung hinsichtlich der Realisierung der Pläne zu lösen vermag. Elkes Warnung, es werde „ein Werk auf Tod und Leben“ (71/309), läßt einen dramatischen Fortgang der Erzählung erahnen.

Eigentlicher Anlaß für die kurze vierte Unterbrechung ist die Absicht des Schulmeisters, seinem Zuhörer gegenüber die Seriosität der Hauke-Haien-Geschichte zu bewerten. Eine klare Zweiteilung wird von ihm vorgenommen. Während er das bisher Geschilderte als recherchierte Überlieferung aus dem Mund „verständiger Leute“ (75/312) hinstellt – im Dorfe kaum bekannt und beredet –, sei der folgende Teil, so der Schulmeister, „auch jetzt noch das Geschwätz des ganzen Marschdorfes“ (ebd.). Damit wird eine gewisse Unseriosität suggeriert. Der aufklärerische Erzähler versucht, sich von dem mit vielen phantastischen Elementen angereicherten zweiten Erzählteil vorsichtig zu distanzieren, gleichzeitig gibt er dadurch den vorhergehenden Erzählabschnitten den Anstrich von Authentizität. Unbeantwortet muß die Frage bleiben, ob der Schulmeister ebenso gesprochen hätte, säße er in der Gaststube im Kreise der anderen Zuhörer aus dem Dorfe. Auf jeden Fall wird der eher ruhige, nach Erzählprinzipien des Entwicklungsromans gestaltete

erste Teil, nun abgelöst von einem zweiten Teil, der beherrscht ist von andauernder dramatischer Steigerung.
Er führt den Leser bis an den Rand der Katastrophe, bis nahe ans Ende der Binnenerzählung. Dieser Teil umfaßt etwa die Hälfte des gesamten Berichts und wird, nach einer fast unmerklichen Unterbrechung, in den letzten kurzen Abschnitt übergeleitet, in dem auch die Katastrophe zum Ausbruch kommt. Wie der Höhepunkt der Novelle vorbereitet wird, mag eine Skizzierung der Feinstruktur dieses Erzählteils zeigen:

- Haukes Schimmelkauf und der Spuk auf Jevershallig regen die Phantasie der Menschen an. Man spricht von einem Teufelspakt.
- Der Eindeichungsplan ist genehmigt; Unwillen unter den Deichgevollmächtigten.
- Die Eindeichungsarbeiten beginnen; feindliche Stimmung bei den Arbeitern.
- Geburt Wienkes; angeblich frevlerisches Gebet Haukes; neue Gerüchte um den Teufelspakt.
- Konflikt um einen Hund als Deichopfer.
- Beendigung des Deichbaus; ein stolzer Hauke Haien.
- Drei Jahre steht der Deich; scheinbar friedliche Jahre ohne offene Konflikte.
- Die Brüchigkeit des Friedens wird sichtbar; Isolierung Haukes und seiner Familie; merkwürdige Vorausdeutungen auf eine Flutkatastrophe.
- Entdeckung einer schadhaften Stelle am alten Deich; Hauke läßt nur oberflächlich ausbessern; Gewissensbisse treiben ihn wiederholt zum vorgezeichneten Ort der Katastrophe.

Die erzählerisch lange vorbereitete Katastrophe wird noch einmal durch eine sehr kurze Unterbrechung (U_5) des Schulmeisters aufgehalten. Es ist nur ein angedeuteter Rahmeneinschnitt, der Übergang in die fortgehende Binnenerzählung ist fließend. Der Schulmeister verweist darin lediglich auf „das Jahr 1756, das in dieser Gegend nie vergessen wird“ (129/358). Mit diesem historischen Datum einer großen Flutkatastrophe wird dem Berichteten der Gehalt von Realität und Authentizität gegeben. Die etwas abwertende Stellungnahme des Schulmeisters zu Beginn des Erzählabschnitts, er gebe nur das „Geschwätz“ der Leute wieder, wird quasi annulliert. Das Geschwätz scheint doch mehr Realitätsgehalt zu haben als ursprünglich zugestanden.
Nach der letzten Unterbrechung schreitet die Handlung rasch aufs Ende zu. Verschiedene Warnsignale künden von dem Unabwendbaren, der Leser wartet nur noch auf die Bestätigung des Erzählers. Diese erhält er umgehend: Sturmflut, Deichbruch, Tod Elkes und Wienkes, Haukes Selbstmord.
Damit ist die Binnenerzählung beendet. Innerhalb weniger Abendstunden ist das Leben Hauke Haiens ausgebreitet worden. Der Erzähler schweigt. Der Reisende greift zum lange gefüllten Glas, hält dann aber inne – so, als wirke die Spannung nach und als erwarte er noch etwas. Tatsächlich ergreift der Erzähler 3 noch einmal das Wort. Die Schließung des inneren Rahmens wird für einen Augenblick verzögert.
Er habe die Geschichte „nach bestem Wissen“ (144/371) erzählt, bekennt der Schulmeister. In Erinnerung des Einwandes des Deichgrafen fügt er hinzu: „Freilich, die Wirtschafterin unseres Deichgrafen würde sie Ihnen anders erzählt

haben“ (ebd.) – vielleicht so ausgeschmückt, wie es der ursprüngliche Schluß der Novelle beispielhaft vorführt (vgl. Kap.1.3.2 und 4.3.2). Mit gehöriger Distanz zum Glaubwürdigkeitsgehalt gibt der Schulmeister dem Leser ein Exempel: „denn auch das weiß man zu berichten: jenes weiße Pferdsgerippe ist nach der Flut wiederum, wie vormals, im Mondschein auf Jevershallig zu sehen gewesen; das ganze Dorf will es gesehen haben“ (144/371). Der Leser hat es schwer, zwischen Fiktion, Phantasiegespinsten und Authentizität des Berichteten zu unterscheiden, denn derselbe Erzähler behauptet gleich danach mit Bestimmtheit, daß Hauke, Elke und das Kind in dieser Flut umgekommen seien. „So viel ist sicher“(ebd.), betont er. Die Existenz dieser Personen, ihr Leben, ihre Taten und ihre Todesart, sind für den Schulmeister unbestreitbar, denn „nicht einmal ihre Grabstätte“ habe er „droben auf dem Kirchhof finden können“ (ebd.). Noch einen letzten Beweis für den Realitätsgehalt der wesentlichen Elemente der Geschichte gibt es, nämlich den Hauke-Haien-Deich. Er „steht noch jetzt nach hundert Jahren“ (ebd.), sagt der Schulmeister. Der Reisende könne sich selbst davon überzeugen, wenn er bei seinem Ritt in die Stadt einen kurzen Umweg nicht scheue.

Die Geschichte von Hauke Haien, so das Fazit des Erzählers 3, ist authentisch. Ein Fragezeichen setzt er allerdings hinter die Vorstellung von dem Schimmelreiter als wiederkehrendem „Spuk und Nachtgespenst“ (145/371).

Erst jetzt leitet der Schulmeister seinen Zuhörer aus der Aura der Binnenerzählung wieder hinüber in die Welt der inneren Rahmenerzählung. Dieses geschieht durch symbolische Gesten: Er horcht nach draußen und zieht die Wolldecke vom Fenster. Der Blick aus dem Fenster zeigt, daß die Deichgevollmächtigten nach Hause gehen. Offenbar gab es einen Deichbruch, aber die größte Gefahr scheint vorüber zu sein.

Die Katastrophe in der Hauke-Haien-Geschichte hat sich an diesem Abend nicht wiederholt. Es ist heller Mondschein wie damals in der Sturmflut-Nacht des Jahres 1756. Aber anders als damals, als der Tag in Tod und im Chaos der schäumenden Wellen ausklang, wünscht man sich in dieser Welt der inneren Rahmenerzählung „von Herzen eine wohlschlafende Nacht!“ (145/372)

Beim Hinausgehen trifft der Reisende auf den Deichgrafen. Jener sieht sich durch die Geschehnisse der Nacht, durch den eingetretenen Deichbruch, in seinem Glauben an die Schimmelreiter-Erscheinung bestätigt. Auch der Reisende, wolle er seinen eigenen Augen nicht mißtrauen, müsse ihm darin recht geben. In der Bewertung von Phantasie und Realität wird ein Schwebezustand hergestellt, den der Reisende mit seiner Reaktion unterstreicht: „Ich zuckte die Achseln: ‚Das muß beschlafen werden! Gute Nacht, Herr Deichgraf!‘“ (145/372)

Am anderen Morgen verläßt der Reisende, der Erzähler 2, den nächtlichen Erzählort. Er tritt aus der Binnenerzählung heraus und bleibt durch den Ritt über den Hauke-Haien-Deich doch mit ihr verbunden. Diesen Deich gibt es. Und es gibt auch die Verwüstungen der nächtlichen Sturmflut. Als sollten diese Fakten die Realität der gehörten und gesehenen Dinge unterstreichen, strahlt über allem das ‚goldenste Sonnenlicht‘ (146/372).

Hier endet Storms Novelle. Der innere Rahmen ist geschlossen. Nach dem Verstummen des Erzählers 3 verstummt auch der Erzähler 2. Der Erzähler 1 tritt nicht mehr auf, der äußere Rahmen bleibt offen. Der Leser kann auf seine Weise den Rahmen schließen und Schlüsse aus dem Gehörten ziehen. Der Autor „entläßt den Leser, ohne seine Fragen zu beantworten; er zieht sich ironisch hinter den Bericht seines Gewährsmannes zurück, doppelgesichtig wie die Wirklichkeit selbst" (Kuchenbuch 1969, S. 200).

4 Gedanken und Probleme

4.1 Hauke Haien und die herausragenden Gestalten der Binnenerzählung

Die Personen der Binnenerzählung werden vorwiegend in ihrem Verhältnis zur Hauptfigur Hauke Haien gezeigt. Und selbst, wenn sie in ihren Beziehungen zueinander geschildert werden, geschieht dies in einer verbindenden Relation zu Hauke. Das gilt für alle Personen, angefangen bei Tede Haien und Tede Volkerts, über Ole Peters, Jewe Manners, Elke Volkerts, Trin' Jans und Wienke, bis hin zum Oberdeichgrafen, zum Pastor und zur übrigen Dorfbevölkerung.

Die Binnenerzählung ist männerorientiert. Die Mehrzahl der weiblichen Gestalten spielt – Spiegelbild einer von Männern geprägten Gesellschaftsstruktur – eine eher marginale Rolle. Sie tauchen episodisch auf – die dicke Vollina, die alte Antje Wohlers, die Frau Pastorin und die abergläubischen Bediensteten, vor allem die Magd Ann Grete. In das Wirtshaus zu gehen, ist unschicklich; beim Eisboseln sind sie ausgeschlossen: „die Frauen hatten keine Stimme in dem Spiel" (42/284). Erlaubt ist der Gang in die Kirche oder der Besuch im Konventikel. Während die verheiratete Frau ganz hinter ihrem Mann zurücktritt, bleibt den jungen Mädchen noch die scheinbare Freiheit, von den Männern umworben zu werden und auf ihre Anträge eingehen oder sie ignorieren zu können.

Selbständig, eigenständig in ihren Gedanken und Ideen und keineswegs bedingungslos der männlichen Dominanz unterworfen sind die alte Trin' Jans und Elke Volkerts. Diese beiden Frauen behaupten sich auf ihre Weise gegen den Druck der weitgehend kalten, berechnenden Männerwelt des Dorfes, nicht zuletzt durch die Fähigkeit, Emotionen unverfälscht zum Ausdruck bringen zu können. Im Deichgrafenhaus werden ihre Lebenswege zusammengeführt. Da wohnen sie unter einem Dach: der mutterlose Hauke, die mutterlose Elke und die einsame Trin' Jans, deren Sohn im Meer umgekommen ist. Später kommt auch noch die schwachsinnige Wienke hinzu. In das von Kalkulationen, Planungen und Organisation geprägte Leben im Deichgrafenhaus bringen Trin' Jans, Elke und Wienke menschliche Wärme trotz des Mangels an seelischer Zuwendung. Sie bringen Licht und Luft in das verdüsterte Dasein. Symbolisch steht dafür das Auftreten Elkes nach Tede Haiens Tod. Durch Um- und Aufräumen gibt sie der Stube ein helleres und größeres Aussehen, und sie sagt zu Hauke: „Das können nur wir Frauen!" (53/294)

Hauke Haien wächst ohne Mutter auf, von ihr ist nicht einmal in Andeutungen die Rede. Alleinerzieher ist der Vater, der Kleinbauer Tede Haien. Er gehört zu den Eingesessenen. Zu seinem Besitz zählt nur wenig Land und kaum Vieh, die Wirtschaft wirft nur mäßige Erträge ab, und der alte Haien meint selbst, „daß er nicht auf einen grünen Zweig gekommen sei" (11/258). Zuweilen betätigt er sich auch als Landvermesser und beschäftigt sich mit meßtechnischen Problemen. Unumstritten gilt er als „der klügste Mann im Dorf" (38/282). Es ist kein Bücherwissen, das ihn auszeichnet, denn über Fibel und Bibel hinaus gibt es im Haienschen Haus wenig Bücher, und selbst diese sind auf den Dachboden verbannt. Es ist mehr ein Wissen, das auf eigenen praktischen Erfahrungen beruht. Die relative Begrenztheit seiner Kenntnisse wird deutlich, wenn er die Fragen des lernbegierigen Hauke beantworten soll. Des Vaters „genug, es ist so" (10/257) genügt Hauke nicht. Der eher gleichgültige Hinweis des Vaters auf ein Exemplar des Euklid ist für Hauke Anreiz, dieses Buch trotz des Hindernisses, daß es auf holländisch verfaßt ist, mit Hilfe einer holländischen Grammatik zu studieren.

Entgegen der Erwartung und Hoffnung des Vaters verfliegt Haukes Interesse am Studium des Euklid auch durch die harte Deicharbeit nicht, im Gegenteil – das gewonnene theoretische Wissen verbindet Hauke mit den Ergebnissen seiner intensiven Naturbeobachtung. So kommt es, daß die Deicharbeit ihn zu einer kritischen Betrachtung der traditionellen Deichbauweise führt. In Gedanken konstruiert er bereits jenen neuen Deich, der viele Jahre später tatsächlich gebaut werden wird. Haukes Wort von der Untauglichkeit der alten Deiche ruft beim Vater Verwunderung und Belustigung hervor: „du kannst es ja vielleicht zum Deichgraf bringen; dann mach sie anders!" (13/259) In dem jungen Hauke ist dieser ironische Einwurf bereits zum ernsthaften Wunsch gereift. Mit der trockenen Erwiderung: „Ja, Vater!" (13/260), verwirrt der Knabe ihn vollkommen. „Der Alte sah ihn an und schluckte ein paarmal; dann ging er aus der Tür; er wußte nicht, was er dem Jungen antworten sollte." (ebd.)

Tede Haien ist ein nicht-autoritärer und um das Wohl seines Kindes besorgter Vater. Nicht aus Bildungsfeindlichkeit sieht er die Bücherstudien Haukes mit Skepsis, sondern aus dem Wunsch heraus, dessen Interesse für den Hof zu stärken, und aus der Sorge, daß das theoretische Wissen dem Sohn eines wenig begüterten Kleinbauern in Zukunft kaum etwas nützen werde. Als sich seine Bemühungen, den Jungen zu ändern, als Fehlschlag erweisen, läßt der alte Haien Hauke gewähren. Darüber hinaus stützt er ihn von nun an in seinen Ansichten und Handlungen. Wie der Sohn hält Tede Haien den jetzigen Deichgrafen für unfähig. Vor allem aber – das offenbart Tede Haien auf dem Sterbebett – habe er die Überzeugung gewonnen, daß sein Sohn der „rechte Mann" (52/293) für das Deichgrafenamt sei, falls es neu besetzt werden müßte. Wegen des eigenen unzureichenden Landbesitzes für dieses Amt habe er daher am eigenen privaten Verbrauch gespart und heimlich für den Zuerwerb eines Stückes Land gezahlt. Dieses Opfer des Vaters und sein ermunterndes Wort, das er „wie eine letzte Gabe seinem Erbe beigelegt" (56 f./297) hatte, sind für Hauke Ansporn und Bestätigung zugleich.

Als vorausschauende Fürsorge und nicht als ein kaltes Kalkül eines analytisch-technisch denkenden Menschen, der nach Autonomie durch Herrschaft und Eigentum strebt – so das Urteil Freunds (1984, S. 66) –, ist das Verhalten des Vaters zu bewerten. Fragwürdig ist auch Freunds Ansicht, daß der alte Haien ein „ausgeprägt patriarchales Bewußtsein" (ebd.) zeige, versteht man darunter einen altväterlich-bevormundenden, sogar totalitären Wesenszug. Davon ist bei Tede Haien nichts zu bemerken, auch nicht in seiner Reaktion auf Haukes Tötung des Katers der Trin' Jans: „die Kate ist hier zu klein; zwei Herren können darauf nicht sitzen – es ist nun Zeit, du mußt dir einen Dienst besorgen!" (23/268) Diese Aufforderung ist wohl kaum als patriarchale Geste aufzufassen. Im Gegenteil – Tede Haien streitet mit dem Sohn nicht wegen des Vorfalls, aber er erkennt, daß der Junge reif ist für eine dauerhafte Beschäftigung, was in damaligen Zeiten zumeist verbunden war mit der engen Bindung an den neuen Dienstherrn und Wohnrecht des Angestellten bei demselben.

Der Vorfall mit dem Kater verdeutlicht einen auffälligen Charakterzug des jungen Hauke: eine Trotzigkeit, die sich zum einen mit Frechheit verbindet – so gegenüber dem Vater (vgl. 12/259) –, zum anderen mit verbalem Zorn (13/266) und einem fast krampfhaften Ausharren im Bekämpfen der eigenen Ängste (16/262). In der Situation mit dem raubgierigen Kater überkommt Hauke ein rasender Jähzorn und ein wütender Trotz: „wollen sehen", so schreit er den Kater an, „wer's von uns beiden am längsten aushält!" (19/265) Als der Kater tot ist, läßt Hauke es nicht dabei bewenden, sondern wirft das Tier gegen die Kate der Trin' Jans. Die Trauer und Empörung der alten Frau ficht ihn nicht an. „Bist du bald fertig?" (20/265) ruft Hauke ihr lediglich zu. Er zeigt eine erschreckende Grausamkeit, denn das Tier war für Trin' Jans nicht nur ein Andenken an den umgekommenen Sohn, sondern auch Kind-Ersatz, ein Objekt ihrer Liebe, ihr ein und alles. Die Ermordung des Katers ist dagegen noch als spontane Reaktion aus Schmerz und Wut auf den raubgierigen Biß des Tieres zu begreifen. Damit begründet Hauke sein Verhalten auch gegenüber dem Vater. Er sagt ihm aber noch mehr: „Ja, man wird grimmig in sich, wenn man's nicht an einem ordentlichen Stück Arbeit auslassen kann." (23/268)

Das mag in diesem Falle eine ausreichende Erklärung sein, sie kann aber nicht gelten für ein anderes grausam-sinnloses ‚Spiel', das Hauke seit Kindesbeinen treibt, nämlich mit oft tödlichen Steinwürfen auf die Vögel im Watt zu zielen. Ob das Fehlen mütterlicher Liebe und der alleinige Einfluß männlich dominierter Erziehungsmuster dafür verantwortlich zu machen sind, kann nicht mit Bestimmtheit gesagt werden. Entsprechende Interpretationsversuche ergeben, z. B. unter Berufung auf Alfred Adler, daß Hauke mit seiner Grausamkeit die „männliche Verachtung anderen Lebens" demonstriere. Er zeige ein ‚destruktives Naturverhalten' und habe das Bedürfnis, sich als der Stärkere zu beweisen (vgl. Freund 1984, S. 68). Ähnlich bewertet W. Frühwald (1981, S. 446) die Funktion der Kater-Episode: Storm wolle damit den darwinistischen ‚Kampf ums Dasein' verdeutlichen. Für J. Hermand ist nicht der Erziehungseinfluß, sondern das Naturpanorama, vor dem Hauke aufwächst, maßgebend. Dadurch entwickele er sich zu dem, „was er von Anfang an ist: zu einer verschlossenen, einsamen Gewaltnatur" (Hermand 1965, S. 44). Im Sinne von Nietzsches Diktum: „Was mich nicht umbringt, macht mich stärker", interpretiert er auch den Vorfall mit dem Kater.

Aber so ausschließlich gefühlskalt, wie Hauke hier gesehen wird, ist er von Storm nicht dargestellt, denn seine Handlung macht „ihm doch im Kopfe Wirrsal" (20/265). Und später, als er mit Elke auf Trin' Jans' Stallbau-Pläne zu sprechen kommt, schiebt er den Gedanken, ob sie denn eine Konzession habe, beiseite, denn ihm „fiel es aufs Herz, daß er die Alte mit ihren jungen Enten den Ratten sollte preisgegeben haben" (32/276).

Die Episode mit dem Angorakater bedeutet für Hauke den Abschluß seiner Kindheit im Vaterhaus und den Dienstantritt als Kleinknecht des Deichgrafen.
Zum Gesamtbild Haukes bis zu diesem Zeitpunkt gehören noch einige weitere Details. Er wird geschildert als ein Junge, der ohne engeren Kontakt zu Gleichaltrigen aufwächst: „Mit denen zu verkehren, die mit ihm auf der Schulbank gesessen hatten, fiel ihm nicht ein; auch schien es, als ob ihnen an dem Träumer nichts gelegen sei." (14/260) In dieser selbstgewählten Einsamkeit ohne soziale Kontakte zur Außenwelt, ohne die positiven Erlebnisse einer Freundschaft und auch ohne die sozialen Erfahrungen, die der Umgang mit anderen vermitteln kann, reduziert sich das Interesse schon sehr früh und einseitig auf eine Sache: auf das Beobachten des Zusammenspiels von Wasser, Land und Deich.
Hauke erwartet die Äquinoktialstürme wie andere Kinder das Weihnachtsfest (13/260). Das sagt etwas darüber aus, welche Faszination die Gewalt des Meeres auf ihn ausübt, nicht als bloßes sinnliches Aufnehmen eines Naturschauspiels, sondern er erlebt das Meer als Herausforderung, als einen Gegner, den es niederzuringen gilt. Die Natur wird ihm zum Gesprächspartner, aber nicht als Vertraute seiner heimlichen Gedanken, sondern als Feind: „Ihr könnt nichts Rechtes", schreit er den tobenden Fluten entgegen, „so wie die Menschen auch nichts können!" (13 f./260) Mit diesem aus der Isolation seines Daseins erwachsenen egozentrischen Selbstwertgefühl, das ihn der menschlichen Gemeinschaft enthebt, beginnt Hauke seinen Dienst im Deichgrafenhaus.
Hier wird er schon bald die unverzichtbare rechte Hand des Deichgrafen Tede Volkerts, der sein Amt aus Familientradition und wegen seines großen Landbesitzes inne hatte, nicht aufgrund besonderer Eignung. Er ist ein gutmütiger, dem Essensgenuß sehr zugetaner Mensch, der sein Amt sorglos, nachlässig, lethargisch verwaltet. Mit Haukes Eintreten ändert sich die Situation spürbar: Er berechnet, inspiziert die Deiche, kümmert sich um die Behebung von Schäden und weist auf die Einhaltung von Deichvorschriften hin. Er ist der eigentliche Deichgraf. Sein Auftreten ist aber nicht von „Hochmut", von Besserwisserei oder gar von „Geltungsstreben" (so Freund 1984, S. 69) bestimmt. Im Gegenteil ist Hauke eher bescheiden, fast schüchtern, und er ist zugleich offener gegenüber anderen Menschen. Er ist bei vielen gleichaltrigen Dorfbewohnern anerkannt, sogar beliebt, allerdings wächst bei jenen die Feindschaft gegen ihn, die auf seine Veranlassung hin in Deichsachen härter angefaßt und kontrolliert werden (vgl. 57/297).
Positiven Einfluß auf Hauke gewinnt Elke Volkerts. Zwischen beiden herrscht vom ersten Zusammentreffen an eine tiefe Zuneigung, welche Haukes Worte und Taten ebenso bestimmt wie umgekehrt Elkes. In ihr hat Hauke vermutlich jene Eigenschaften und Gefühle entdeckt, die ihm, aufgewachsen ohne Mutter, bislang fremd waren, und er reagiert darauf in unverstellter offener Weise. Er wird rot vor Beschämung, als Elke von dem Lob des Deichgrafen durch den Vorgesetzten erzählt, denn beide wissen, wem es wirklich zukommt. Hauke ist bescheiden und meint, daß doch auch Elke ihren Anteil daran habe und daß er sie nicht ‚ausstechen' wolle. (36/279). Das sind sehr moderate Töne, die nichts mit der Sprache eines Geltungssüchtigen gemein haben. Freundlich ist Hauke auch beim Eisboseln

gegenüber Trin' Jans. „Wie geht's mit deinen Enten?" erkundigt er sich bei ihr (43/285).
Verfälschend interpretiert W. Freund zwei andere Szenen: einmal jene nach dem entscheidenden Wurf beim Eisboseln, als die Menge Hauke zujubelt (45/287). Hauke reagiert kaum. Erst als er die Hand Elkes in der seinen spürt, sagt er vieldeutig: „Ihr mögt schon recht haben; ich glaube auch, ich hab gewonnen!" (ebd.) Hierin ich-bezogenen Siegesstolz sehen zu wollen und eine Bestätigung der Rolle des Einzelkämpfers und Außenstehenden, wie Freund dies tut, ist abwegig. Hauke äußert nur die Freude über die erwiesene Zuneigung Elkes, was später im Tanzsaal noch einmal deutlich wird: Von Elke auf das gewonnene Spiel angesprochen, erwidert Hauke: „Ich dachte, Elke, ich hätt' was Besseres gewonnen!" (48/289)
Eine andere Szene, die Freund fehlinterpretiert, ist Elkes Aufforderung zum Tanz, die Hauke ablehnt, weil er fürchtet, Elke durch seine Ungeschicklichkeit zu blamieren (vgl. ebd.). Was Hauke hier eher einfühlsam zu bedenken gibt, interpretiert Freund dahingehend: „So sehr ist er auf Perfektion und das eigene Ansehen bedacht, daß er es Elke abschlägt, mit ihr zu tanzen. Die anderen könnten ihn [!] wegen seiner Ungeübtheit verlachen." (1984, S. 69)
Diese Erzählabschnitte zeigen auch, daß nicht Hauke sich als zukünftiger Deichgraf aufspielt, sondern daß Elke, das indirekte Lob des Oberdeichgrafen und die meisten Dorfbewohner ihn dazu machen. „Schad nur [...], daß der Bengel nicht den gehörigen Klei unter den Füßen hat; das gäbe später sonst einmal wieder einen Deichgrafen, wie vordem sie dagewesen sind" (35/278), heißt es. Und anläßlich der Aufnahme Haukes in die Eisbosel-Mannschaft sind sich fast alle einig, daß der wahre Deichgraf des Dorfes Hauke Haien ist. Hauke hört davon, aber der alte Gedanke, einmal Deichgraf zu werden, wird nicht hierdurch wachgerufen, sondern erst durch die Worte des Vaters auf dem Sterbebett (vgl. 56/296).
Zu den Widersachern Haukes gehört der Großknecht Ole Peters, der den ihn ‚geistig überragenden' (29/273) Hauke nicht wie den vorherigen Kleinknecht herumstoßen kann. Mißgunst schafft auch die Bevorzugung Haukes durch den Deichgrafen und die deutliche Zurückweisung durch Elke, die ihn zum Gegenspieler Haukes werden läßt. Allerdings bleiben seine Versuche, Hauke zu diskreditieren, in dieser Phase der Erzählung noch erfolglos. Während für Hauke das Eisboseln durch seine Aufnahme als Teilnehmer, den Zuspruch vieler Dorfbewohner, den Siegeswurf und durch den ‚Gewinn' Elkes zum Triumph gerät, wird dieser Tag für Ole Peters, der in allen Angelegenheiten den Widerpart spielt, zum Tag der Niederlagen. Für die weitere Entwicklung hat das Konsequenzen. Ole Peters sagt den Dienst beim Deichgrafen auf, wird durch Heirat zu einem wohlhabenden Mann und verbessert dadurch seine Stellung im Dorfe. Auf der anderen Seite übernimmt Hauke den Posten des Großknechts und bleibt damit in der Nähe Elkes. Beide wünschen die Heirat, doch keiner wagt den Gedanken auszusprechen. Verschiedene wichtige Begebenheiten führen zur Ernennung Haukes zum neuen Deichgrafen. Er erreicht dieses Ziel ohne Intrigen, Machtstreben oder Geltungssucht, sondern allein aufgrund seiner Sachkompetenz und der unaufgeforderten Hilfe anderer Menschen.

Am Anfang steht der physische Verfall des alten Tede Haien. Mit Betroffenheit reagiert Hauke: Der „Alte quäle sich, er dürfe das nicht länger ansehn“ (50/291). Darum gibt er seine einflußreiche Position am Deichgrafenhof ohne Bedenken auf. Daß er dennoch weiterhin dem Deichgrafen wunschgemäß hilft, kann ihm nicht als berechnender Akt des Eigennutzes zugeschrieben werden. Deutlich wird die durch Elkes Zuwendung bewirkte Änderung in Haukes emotionaler Haltung auch nach dem Tod des Vaters. Da beobachtet er „voll Vertrauen“ (53/294), wie Elke ihm hilft, er sieht es „mit glücklichen Augen“ (ebd.). Schon bald folgt ihre heimliche Verlobung.
Die Beerdigungsfeier des Deichgrafen wird für Hauke – ohne eigenes Zutun – zum Tag des Triumphes. Da der Deichgevollmächtigte Jewe Manners sich aus Altersgründen der Deichgrafennachfolge entzieht, schlägt der Pastor Hauke vor. Jewe Manners stimmt ihm bei: „Der Mann wäre er schon“ (63/302), aber ihm fehle der nötige Grundbesitz. Da tritt, als dritter Fürsprecher Haukes, Elke auf. Sie und Hauke würden bald heiraten, und sie werde ihm zuvor die Güter übertragen. Er werde dadurch zum reichsten Mann im Dorfe. Ohne daß der Erzähler die Formalien weiter erörtert, ist damit Haukes Ernennung zum neuen Deichgrafen besiegelt.
Ein Ziel ist erreicht. Es gab keinen Widerstand, nicht einmal aus dem Munde Ole Peters', der bei der Beerdigungsfeier neben Hauke saß. Dabei hatte Hauke sich den Weg zum Deichgrafenamt dorniger und beschwerlicher vorgestellt, er hatte ihn begleitet gesehen von erbitterten Rivalenkämpfen. Seit den vermächtnishaften Worten seines sterbenden Vaters (vgl. oben) waren in Hauke, so weiß der Erzähler zu berichten, neben der „Ehrenhaftigkeit und Liebe“ (57/297), die sich unter Elkes Einfluß entwickeln und entfalten konnten, „tief in seinem Innern“ auch „Ehrsucht und [...] Haß“ (ebd.) gewachsen. Damals war es Hauke zumute, als wollten ihm viele das Amt, „zu dem von allen nur er berufen war“ (ebd.), streitig machen: jene, denen er durch seinen Dienst beim Deichgrafen zugesetzt hatte, und jener vor allem, den er gedemütigt hatte – Ole Peters. Damals gewann in Hauke auch das lange verdrängte Denkschema wieder Raum, wonach die Welt ein Kampfplatz ist, auf dem man vernichtet wird, wenn man nicht selbst den Gegner, den Konkurrenten, vernichtet. Nun aber ist er Deichgraf geworden, kampflos. Und er wird von einer Frau geliebt, die auch er liebt.
Zwischen beiden fällt nie ein böses Wort. Sie lieben sich auf eine zärtliche, stille Art, ohne Leidenschaft und Überschwang. Während Hauke von früh bis spät seinen vielfältigen Aktivitäten als Landwirt und Deichgraf nachgeht, besorgt Elke die schwere Hausarbeit. Sie ist der ruhende Pol auf dem Deichgrafenhof. Sie gibt Hauke Mut, wenn er verzagt ist, sie dämpft ihn, wenn er erregt ist, sie gibt ihm Sicherheit, wenn er unsicher ist, sie ist ein kompetenter Ratgeber in allen Bereichen – Haus, Landwirtschaft, Deichsachen –, und sie ist ein Menschenkenner. Hauke andererseits sucht ihren Rat, sucht ihre Zuneigung und ihre Bestärkung. „Ja, Hauke, wir sind uns treu; nicht nur, weil wir uns brauchen“ (101/334), sagt Elke einmal in einer Phase der Spannung zwischen Dorfbevölkerung und dem Deichgrafen.

Immer wieder bekennen sie durch zärtliche Berührung und Worte ihre Liebe und stützende Solidarität. Es geschieht nicht abgestumpft und floskelhaft. Meistens geht die Annäherung von Elke aus: „sie legte schweigend ihre Hand in Hauke Haiens“ (66/304), „sie drückte ihm die Hand“ (68/306), „ihre Hand strich langsam über seine Wange“ (72/310), „sie hatte [...] die Hand ihres Mannes [...] in die ihrigen gepreßt“ (83/319), „sie [...] strich mit ihrer schmalen Hand das Haar ihm von der Stirn“ (92/327). Zuweilen ergreift auch Hauke die Initiative: „dann küßte er mitunter ihre Stirn und sprach ein leises Liebeswort dabei“ (73/310 f.), „er zog sie fest in seine Arme“ (83/319), „er neigte sich zu ihrem Antlitz und küßte sie“ (ebd.). Häufig haben sie gleichzeitig das Bedürfnis nach Berührung: „ihre Hände preßten sich ineinander“ (59/298). Charakteristisch für ihr Verhältnis sind auch die wiederkehrenden bekräftigenden Worte in schwierigen Situationen: „Wir wollen fest zusammenhalten“ (74/312), „du bist mein Weib und ich dein Mann, Elke! Und anders wird es nun nicht mehr“ (83/319), „was kommt, kommt für uns beide“ (ebd.). Zwischen Berührungen und freundlichen Worten liegt aber viel Alleinsein, liegen viele einsame Stunden und Tage, in denen jeder mit seiner Arbeit beschäftigt ist: „es war ein Leben fortgesetzter Arbeit, doch gleichwohl ein zufriedenes“ (66/305).

Im siebten Jahr ihres gemeinsamen Lebens greift etwas in ihr Dasein ein, was in letzter Konsequenz zum Untergang der Familie führt. Es ist das mit gezieltem Spott in Umlauf gebrachte Wort, Hauke Haien sei „von seines Weibes wegen“ neuer Deichgraf geworden (67/306). Dabei sind die Worte ohne sensationellen Neuigkeitswert. Der Oberdeichgraf hatte am Tag von Haukes Ernennung ähnlich formuliert: „ [...] daß ein Deichgraf von solch junger Jungfer gemacht wurde, das ist das Wunderbare an der Sache!“ (65/304) Auch damals waren Ole Peters und andere Dorfbewohner anwesend, aber nie in den folgenden Jahren schien dieses Wort Hauke bewegt zu haben. Nun aber trifft es ihn tief, denn es ist von Männern an der Wirtshaustafel ausgesprochen worden. Das Wort soll kränken, lächerlich machen, soll die fragwürdige ‚Mannesehre‘ reizen.

Und Hauke reagiert wie einer ihresgleichen. Nicht souverän im Bewußtsein der eigenen Leistungen, nicht mit einem Lob der Liebe und Selbstlosigkeit Elkes, sondern gereizt, aggressiv, in seiner ‚Mannesehre‘ getroffen. Hauke ist kein überragender Held, sondern er ist schwach. Die aus solcher Schwäche geborenen Handlungen können ein Resultat hervorbringen, das gerühmt und von der Nachwelt bewundert werden wird, wie der neue Deich, aber die Aggressivität, die zu diesem Ziel vorantreibt, kann nur menschenfeindlich wirken. Schon Haukes erste Reaktion – die ihm scheinbar übelwollenden Menschen ziehen in seinem Innern an ihm vorüber – beweist es: „‚Hunde!‘ schrie er, und seine Augen sahen grimmig zur Seite, als wolle er sie peitschen lassen.“ (67/306) Seine alte Idee, die Eindeichung eines neuen Kooges, entwickelt sich in einem Zustand der Erregung zu einem realen Plan. Der neue Deich mit dem neuen Profil, so gut er auch vor Sturmfluten schützen mag, und der neue Koog, soviel Land durch ihn auch gewonnen wird, sie sind für Hauke nur Mittel zum ganz persönlichen Zweck: „sie sollen nicht mehr sagen, daß ich nur Deichgraf bin von meines Weibes wegen!“ (69/307)

In dieser egoistischen Motivierung liegt die Schwäche des groß angelegten Deichbauprojektes, dessen Notwendigkeit für die Sicherheit unbewiesen ist, auch wenn Hauke diese immer wieder anführt und Jewe Manners ihm darin beipflichtet. Mit den Argumenten von Sicherheit und ökonomischen Vorteilen stellt Hauke das Projekt Elke, sehr viel später auch der Dorföffentlichkeit vor. Das tieferliegende Motiv läßt er Elke gegenüber aber schon bald durchblicken: „Du sollst mich wenigstens nicht umsonst zum Deichgrafen gemacht haben, Elke; ich will ihnen zeigen, daß ich einer bin!" (72/310) Dieses Eingeständnis macht er ebenfalls vor der Dorfversammlung, nachdem ihn Ole Peters mit neuen Vorwürfen wegen der zu erwartenden Anteile am geplanten Koog provoziert hat: „das ungewaschene Wort, das dir im Krug vom Mund gefahren, ich sei nur Deichgraf meines Weibes wegen, das hat mich aufgerüttelt, und ich hab euch zeigen wollen, daß ich wohl um meiner selbst willen Deichgraf sein könne" (94/328).
Aus einer charakterlichen Schwäche heraus entwickelt Hauke eine große Willensstärke, die in seiner Erklärung Elke gegenüber verbalisiert wird. „Ich will", so beginnt er, zögert, und setzt dann fort: „ich will... " (71/309). Da spielt es keine Rolle, daß es ein Werk auf Tod und Leben sein wird, wie Elke sagt, und daß das Dorf seinen Plan nicht unterstützt. Haukes egoistisch motiviertes Handeln geht vollständig zu Lasten des Familienlebens, zu Lasten Elkes. Trotz ihrer kritischen Haltung zum Projekt ist sie aber mit Hauke solidarisch, erträgt sie die aufgebürdete Mehrarbeit – „auch sie hatte so vollgemessen ihre tägliche Arbeit, daß sie nachts wie am Grunde eines tiefen Brunnens in unstörbarem Schlafe lag" (93/327 f.) –, die Nervenanspannung und die zunehmende Vereinsamung. „Es sind schlimme Zeiten, und sie werden noch lange dauern", sagt sie einmal zu sich selbst (74/311). Hauke andererseits braucht und benutzt die Solidarität Elkes – für seine Zwecke. So betrachtet, sind seine Haltung und sein Handeln unsozial, eigensüchtig, eigennützig.
Die Versammlung zur Besprechung des Deichprojekts zeigt, daß alle, bis auf Jewe Manners, dagegen eingestellt sind. Zwar sind ihre Argumente oft nur Ausflüchte, Zeichen ihrer Trägheit und ihrer Angst vor zusätzlicher ökonomischer Belastung. Dennoch ist die Reaktion der Dorfbevölkerung angemessen, wenn man die Zumutung bedenkt, die es bedeutet, daß da ein Mensch für sich allein einen Plan erarbeitet hat, ihn von den Vorgesetzten absegnen läßt und dann mit dem Befehl zum Deichbau vor jene Leute tritt, die es als erste angeht, zumal sie mit ihrer Arbeitskraft und ihren materiellen und finanziellen Mitteln dafür einstehen sollen. Als Resultat eines derartig autoritären Umgangs mit Menschen bleibt ein andauernder Widerwille und verhaltener Widerstand bei den Deicharbeitern zurück, der sich noch vermehrt, als Ole Peters zum Deichgevollmächtigten bestimmt wird.
Der Deichopfer-Vorfall bringt den Konflikt zwischen Hauke und den anderen in aller Schärfe hervor. „Nehmt Euch in acht, Deichgraf!" wird er gewarnt, „Ihr habt nicht Freunde unter diesen Leuten" (106/338). Nur „grimmige Gesichter und geballte Fäuste" (107/339) wird er gewahr, trotz der ‚abergläubischen Furcht' (vgl. ebd.), die die Männer vor ihm haben. Das Verdienst, daß schließlich doch

weitergearbeitet wird, kommt nicht Hauke zu, sondern einem alten Freund von Jewe Manners. „Herrisch" (108/340) gibt Hauke seine weiteren Befehle. Seine wachsende Unfähigkeit, mit Menschen außerhalb seines Familienkreises freundlich umzugehen, wird kraß demonstriert, als er den geretteten dreckverschmierten Hund in Ann Gretes saubere Schürze wirft. Überhaupt hat sich der Ton Haukes gegenüber den Arbeitern und Bediensteten seit Beginn der Deicharbeiten stark verändert. Die Einsamkeit um ihn macht ihn trotziger und verschlossener. Er wurde „strenger; die Ungeschickten und Fahrlässigen, die er früher durch ruhigen Tadel zurechtgewiesen hatte, wurden jetzt durch hartes Anfahren aufgeschreckt" (102/335). Auffällig ist auch, daß er, der einst die Vögel mit Steinwürfen tötete und den Kater erwürgte, jetzt den Hund vor dem Tode rettet, einem der widerspenstigen Arbeiter aber zuruft, „es stopfte besser, wenn man dich hineinwürfe" (107/339). Der verstärkte Menschenhaß fördert eine Art Mitleid mit der Kreatur.

Trotz des Widerstandes, den Hauke durch autoritäres, furchteinflößendes Auftreten bricht, und dank der Hilfe des alten Manners-Freundes, wird der Deich fertig. Die Reaktion Haukes nach der Fertigstellung ist so ich-bezogen wie das Motiv zum Bau desselben. Es folgt kein Dank an die Arbeiter, kein Dank an Elke. Er fragt sich nur, weshalb der Koog, der „ohne ihn nicht da wäre, in dem sein Schweiß und seine Nachtwachen steckten" (110/341), nicht seinen Namen, sondern den einer Prinzessin trage. Die berechtigte Kritik an der obrigkeitsstaatlichen Namensgebung macht die egoistische Ruhmsucht nicht weniger erträglich. Als er dann zufällig den Namen „Hauke-Haien-Koog" ausgesprochen hört, da „war es, als höre er seinen Ruhm verkünden", da „hob" er sich im Sattel, da wuchs in seinen Gedanken der Deich „zu einem achten Weltwunder" (110/342). Das mag als normale menschliche Reaktion hingenommen werden, wenn sich nicht gleichzeitig eine übertriebene Geltungssucht und die Attitüde des Herrenmenschen dazugesellten: „ihm war, er stünde inmitten aller Friesen; er überragte sie um Kopfeshöhe, und seine Blicke flogen scharf und mitleidig über sie hin" (110/342).

Mit der Eindeichung des neuen Kooges hat Hauke zwar seinen Plan mit großer Willenskraft verwirklicht, aber das, was er eigentlich damit bezwecken wollte, nämlich als Autorität aufgrund seines Wissens und Könnens anerkannt zu werden, ist ihm nicht gelungen. Der verhaltene Widerstand unter den immer von oben herab behandelten Marschbauern bleibt bestehen. Das hat bittere Konsequenzen, als dieser Widerstand nach einigen ruhigen Jahren auf einen Hauke Haien trifft, der, geschwächt von einer schweren Krankheit, „kaum derselbe Mann" war. Die „Mattigkeit des Körpers lag noch auf seinem Geiste, und Elke sah mit Besorgnis, wie er allzeit leicht zufrieden war" (122/352). Als Hauke zufällig entdeckt, daß der alte Deich dort, wo er auf den neuen trifft, durch Flut- und Mäusehöhlungen erheblich beschädigt ist, beschuldigt er sich selbst, diese Gefahrenstelle, die durch den neuen Prielverlauf entstehen mußte, „damals übersehen" (123/353) zu haben. In Wirklichkeit war er schon vor dem Deichneubau von Elke eindringlich gewarnt worden. Von Kindesbeinen an habe sie „gehört, der Priel sei nicht zu stopfen, und darum dürfe nicht daran gerührt werden" (71/309). Fixiert auf den neuen Deich

reagierte Hauke damals: „Das war ein Vorwand für die Faulen!" [...] „weshalb denn sollte man den Priel nicht stopfen können?" (71 f./309)
Hier liegt also nicht ein zufälliges Versehen, sondern ein schweres Verschulden Haukes vor, das wiedergutzumachen er jetzt die Möglichkeit hätte, wenn er eine grundlegende Umgestaltung des alten Deiches, ein Ableiten des neuen Prielverlaufs durchsetzen würde. Aber Ole Peters und die Deichgevollmächtigten lehnen die neuen großen Investitionen ab. Sicherlich ist dies eine kurzsichtige und gefährliche Entscheidung, auch zu ihrem eigenen Schaden. Hier rächt sich erneut Haukes schlechte Menschenbehandlung und sein autoritäres Auftreten; der alte ‚zähe Widerstand' (126/355) der Deichverantwortlichen ist nicht geringer geworden. Der neue Koog ist *sein,* nicht *ihr* Koog, und ihm wird daher trotzig vorgehalten: „dein neuer Koog ist ein fressend Werk, was du uns gestiftet hast!" (ebd.) Hauke, ohne die „alte Kraft" (ebd.), läßt sich zu einer neuerlichen Besichtigung der Schadensstelle überreden, täuscht sich selbst über das Ausmaß der Beschädigung und begnügt sich, dem Wunsch der anderen Verantwortlichen folgend, mit einer oberflächlichen Reparatur. Das geschieht trotz besserer Einsicht, und es ist das erste Mal, daß er sein Problem Elke nicht anvertraut: „ihm unbewußt war die klare Einsicht und der kräftige Geist seines Weibes ihm in seiner augenblicklichen Schwäche ein Hindernis, dem er unwillkürlich auswich" (126/356).
Hauke war stark und beharrlich, als er egoistisch *sein* Deichprojekt durchsetzte; jetzt, da er dieser Eigenschaften wirklich bedarf, ist er schwach und nachgiebig. Das weiß er, und seine Gewissensbisse treiben ihn auch immer wieder zur geflickten Deichstelle hin. Er, der nun scheinbar Frieden mit allen Dorfbewohnern hat, wie Elke meint, trägt jetzt mehr als zuvor den Unfrieden in sich selbst.
Die große Sturmflut deckt Haukes Versagen in aller Schärfe auf. Zum einen hatte er nicht vermocht, die Menschen von seiner unbestreitbaren Kompetenz als Deichgraf zu überzeugen. Was auch immer an Augenblicksdenken, Trägheit und Gleichgültigkeit bei den Dorfbewohnern vorhanden sein mochte, so war Hauke aus der eigennützigen Motivierung des Koog-Projekts heraus nicht fähig, mit ihnen in kollegialer Weise umzugehen. Es war kein Vertrauensverhältnis entstanden, welches gerade in der gemeinsamen Verantwortung für den Deichschutz notwendig ist. Dies rächt sich in der Sturmflutnacht, als die von ihm an dem gefährdeten Schnittpunkt der beiden Deiche aufgestellten Wachen der Anordnung des nicht mit Befehlsgewalt ausgestatteten Ole Peters folgen und eine Rinne im neuen Deich, in „seinem Deich" (138/366) graben, um den alten zu entlasten.
Hauke verhindert dieses. Dadurch wird ein anderes Versagen offenbar. Die oberflächlich reparierte Stelle im alten Deich bricht, der alte Koog wird überflutet. „Euere Schuld, Deichgraf!" ruft ihm einer zu (140/367). Dieser Schuldvorwurf, der auf den verhinderten Durchstich des neuen Deiches zielt, bewegt Hauke nicht. Dabei wäre dadurch der Bruch des alten Deiches vermieden worden, und es wäre nur zur Überflutung des unbewohnten neuen Kooges gekommen. Nun jedoch sind zwar sein Deich und sein Hauke-Haien-Koog gerettet, dem ganzen Dorf aber droht der Untergang.
Hauke sieht seine Schuld allein in der mangelhaften Ausbesserung des alten Dei-

ches: „Herr Gott, ja ich bekenn es, [...] ich habe meines Amtes schlecht gewartet!“ (141/368) Darauf beziehen sich die Selbstvorwürfe, nicht auf den verhinderten Durchstich seines Deiches. Auch wenn die Menschen sich ins höhergelegene Geestdorf retten konnten, wie Hauke hofft, so weiß er ebenso, daß die Schäden immens sein werden. Zerstörte Häuser, Siele und Schleusen, auf Jahre unfruchtbare Weiden: „Wir müssen's tragen, und ich will helfen, auch denen, die mir Leid's getan; nur, Herr, mein Gott, sei gnädig mit uns Menschen!“ (141/368)
Storm selbst hält die Schuld seiner Hauptfigur für geringer als sie üblicherweise erachtet wird. In einem Brief an Ferdinand Tönnies (7. April 1888) geht er darauf ein:

„Wenn die Katastrophe aus der Niederlage des Deichgrafen im Kampfe der Meinungen stärker hervorgehoben würde, so würde seine Schuld wohl zu sehr zurücktreten. Bei mir ist er körperlich geschwächt, des ewigen Kampfes müde, und so läßt er einmal gehen, wofür er sonst stets im Kampf gestanden; es kommt hinzu, daß seine zweite Besichtigung bei heller Sonne die Sache weniger bedenklich erscheinen läßt. Da aber, während Zweifel und Gewissensangst ihn umtreiben, kommt das Verderben. Er trägt eine Schuld, aber eine menschlich verzeihliche.“

Noch geringer bemißt sich die individuelle Schuld Haukes, wenn man sich auf Storms Begriff des Tragischen beruft (vgl. o., S. 11).
Nach dem Untergang von Elke und Wienke erlebt der Leser auch das tragische Ende Haukes, seinen Selbstmord durch den Sturz in die durchflutete Bruchstelle. Das von ihm abgelehnte Deichopfer ist er nun selbst: „Herr Gott, nimm mich; verschon die andern!“ (143/370) Mit diesem abergläubischen Ritual versucht Hauke verzweifelt, jene Menschen zu retten, die er als seine Feinde betrachtete. Damit wird nicht das Ritual gutgeheißen, wohl aber ist es als ein hilfloser Ruf nach Annäherung und Versöhnung zu begreifen.
Während seiner Jahre als Deichgraf ist Hauke die Überwindung von Distanz und Kälte in seinen Beziehungen zu anderen Menschen fast nur im engeren Familienkreis gelungen. Das gilt weniger für seine Beziehung zu Trin' Jans, in der ein von beiden Seiten eingehaltener unverrückbarer Abstand bleibt, obwohl die alte Frau in ihren letzten Jahren auf Elkes Veranlassung hin Wohnrecht im Deichgrafenhaus erhält. Das gilt aber uneingeschränkt für die bereits charakterisierte Beziehung zu Elke. Ihr gegenüber ist Hauke „allezeit der gleiche“ (101 f./335), wie auch sie ihm unverändert zur Seite steht. Haukes letzter Zuruf drückt dieses Verhältnis aus: „O Elke, o getreue Elke!“ (143/370)
Auch im Zusammensein mit Wienke erleben wir einen anderen Menschen als jenen, der als Aufseher herrisch auf die Arbeitenden herabblickt.„ [...] an der Wiege seines Kindes lag er abends und morgens auf den Knien, als sei dort die Stätte seines ewigen Heils.“ (102/335) Frau und Kind sind die Zufluchtsorte und Kraftquellen in seinem Deichgrafendasein. Sie sind auch Ersatz für Freunde, die sie nicht oder nicht mehr haben, und in ihrer Isolation sind diese drei Menschen aufeinander angewiesen.
Wie sich das Kind ihm unverfälscht öffnet, wie es ihn als Menschen und Vater anerkennt, so nimmt sich auch Hauke seines Kindes an. Er befindet sich zwar in

der traditionellen Vaterrolle, in der die Frau die Arbeit mit dem Kinde hat – „er wußte auch nichts von so kleinen Kindern" (103/336) –, aber er nutzt die Stunden, die er mit dem Kind verbringen kann, zu zärtlicher väterlicher Annäherung. Er nimmt das Kind auf den Arm, setzt es aufs Pferd, schaukelt es, gibt ihm den geretteten Hund zum Spielkameraden, reitet mit ihm hinaus ans Meer. Und als Elke und er nach Jahren des Zögerns endlich auszusprechen wagen, daß Wienke schwachsinnig ist, da sagt Hauke fest: „Ich hab sie lieb, und sie schlägt ihre Ärmchen um mich und drückt sich fest an meine Brust; um alle Schätze wollt' ich das nicht missen!" (118/348)

Das Liebes- und Zärtlichkeitsbedürfnis, das jeder Mensch in sich trägt, spüren Hauke und Elke in noch stärkerem Maße, weil sie ohne mütterliche Wärme aufwachsen mußten, und sie können es in ihrer Isolation nur bei sich selbst und bei ihrem Kind stillen. Nichts kann diese Liebesabhängigkeit vom Kind besser verdeutlichen als jene Situation am Deich, als Hauke seinem Kind die verklommenen Hände wärmt und mit so „heftiger Innigkeit", daß ihm die Stimme bricht, zu Wienke sagt: „Du bist doch unser Kind, unser einziges. Du hast uns lieb...!" (122/352) Neben Elke ist Wienke auch der einzige Mensch, der ihn in seiner Leistung als Deichgraf voll anerkennt: „Vater kann alles – alles!" (117/348)

Die letzten Worte, die Hauke in der Sturmflutnacht von seinem Kind vernimmt, sind in ihrer Eindringlichkeit wie ein letzter Trost, ein letztes Bekunden, daß er nicht allein ist und daß es jemand gibt, der ihn sehr liebt: „Vater, mein Vater! [...] mein lieber Vater!" (135/363)

4.2 Die Dorfbevölkerung – Gegner Hauke Haiens?

In der Literatur zum *Schimmelreiter* wird, aus unterschiedlicher Sicht, oft versucht, zwischen Hauke Haien und der übrigen Bevölkerung des Dorfes nicht nur eine scharfe Trennungslinie zu ziehen, sondern sogar die Dorfleute als kompakten, einheitlichen, dem Deichgrafen feindlich gesonnenen Block zu beschreiben. Für Fritz Martini ist Hauke ein „geradezu vermessener Individualist des Willens und der Tat", der die Dorfgemeinschaft „als dumpfe Masse bekämpft und verachtet" (Martini 1974, S. 662 ff.); Franz Stuckert sieht in der Novelle den „Konflikt zwischen dem Individuum und der Gemeinschaft, dem großen Menschen und dem Durchschnitt" (Stuckert 1955, S. 401); für Hartmut Vinçon steht der Deichgraf mit seinen Absichten „gegen die andern. Das sind die Arbeiter und Tagelöhner, das sind die kleinen Leute und auch die reichen Marschbauern" (Vinçon 1979, S. 304); im Kampf und Streit mit der „breiten Masse" befindet sich Hauke bei Jost Hermand (1965, S. 46).

So wenig sich die Problemstellung der Novelle auf einen solchen Gegensatz reduzieren läßt, so wenig ist eine derart schroffe und undifferenzierte Frontbildung ablesbar. Dabei ist nicht einmal an den engeren Bekannten- und Verwandtenkreis Haukes gedacht – an den Vater und den alten Deichgrafen, an Elke, Wienke und Trin' Jans, die auch zur Dorfgemeinschaft gehören, aber keineswegs in Gegner-

schaft zu Hauke stehen. Auch der Blick auf die übrigen Personen vermittelt ein differenziertes Bild.
Dem Leser werden Teile der Dorfgemeinschaft aus verschiedenen Perspektiven und bei verschiedenen gesellschaftlichen Ereignissen vorgestellt: z.B. bei einer Hochzeitsgesellschaft oder einer Begräbnisfeier, beim winterlichen Eisboseln mit anschließendem Tanzfest oder bei Zusammenkünften der Deichgevollmächtigten. Man erlebt die Menschen beim Deichbau, bei einem Konventikler-Treffen, im dörflichen Krug oder im Haienschen Hause. Diese Bruchstücke ergeben zusammen das Bild einer Dorfbevölkerung, die sich weniger als eine homogene Gemeinschaft, sondern eher als ein loser Zusammenschluß von Gruppen verschiedener Interessenlagen und verschiedener Abhängigkeitsverhältnisse präsentiert. So wie es Unterschiede in der sozialen Stellung gibt, so sind auch die Konfliktursachen in bezug auf die Hauptperson verschieden. Der gerüchteverbreitende Dorfklatsch aber gibt dem betroffenen Hauke das Gefühl, er stehe einer festgefügten feindlichen Mauer gegenüber.
Die exponierte Stellung als Deichgraf birgt immer Konfliktstoff in sich. Wie in der Novelle geschehen, so kann eine Verschärfung der Auseinandersetzungen eintreten, wenn über das gewohnte Maß hinaus auf autoritäre Weise Einsatz und Opferbereitschaft gefordert werden, ohne daß es dem Initiator gelingt, den Sachverhalt für alle begreiflich und einsichtig zu machen. Von den oben zitierten *Schimmelreiter*-Interpreten wird denn auch nie die Dorfbevölkerung als aktiver Gegner Haukes genannt, sondern zutreffend das umgekehrte Verhältnis beschrieben. Die Menschen des Dorfes treten nie aktiv als Gemeinschaft gegen den Deichgrafen auf, der Widerstand erschöpft sich in Passivität oder Einzelaktionen. Durch die gesetzlich verankerten Befugnisse des Deichgrafen ist für Hauke ein bestimmtes Maß an Respekt garantiert. Hinzu kommt der starke Rückhalt, den er bei seinen Vorgesetzten hat. Von dieser Seite – sei es vom Amtmann, sei es vom Oberdeichgrafen – erfährt Hauke keinen Widerspruch gegen seine Vorhaben. Im Gegenteil: Hauke wird durch kräftiges Lob in seinen Aktivitäten bestärkt. Resigniert äußert sich daher auch ein alter Gevollmächtigter, als die Pläne vorliegen: „da haben wir nun die Bescherung, und Proteste werden nicht helfen, da der Oberdeichgraf unserm Deichgrafen den Daumen hält!" (88/323) Nach der Fertigstellung des neuen Deiches „strömte das Lob des Deichgrafen" aus dem „Munde der herrschaftlichen Kommissäre" (109/341).
Mit Freundlichkeit und Herzlichkeit begegnen dem jungen Hauke am Tage des Eisboselns Junge und Alte. Lediglich Ole Peters wird von Beginn an als der herausgehobene Gegenspieler geschildert. Er, der einmal als „tüchtiger Arbeiter und maulfertiger Geselle" (29/273) charakterisiert wird, ein anderes Mal als ein Mensch mit „gesundem Menschenverstand" (37/280), konnte möglicherweise die Bedeutung und behauptete Notwendigkeit der Planungen Haukes nicht richtig beurteilen, denn „in Deichsachen" zählte er „nicht zu den Klugen" (102/335). Er aber ist es, der den verhaltenen Widerstand beim Großteil der Dorfbewohner am Leben hält und der in der Katastrophennacht zur Widersetzlichkeit gegen die Anordnungen des Deichgrafen anstiftet.

Er ist zwar nur „Tagelöhnersohn“, wie Elke in drastischer Vorführung der sozialen Pyramide einmal sagt (38/281), aber er hat Selbstbewußtsein genug zu versuchen, Hauke vom Eisboseln auszuschließen. Im Dorf genießt Ole Peters Anerkennung. Der Ehrenposten im Eisbosel-Spiel, die Stellung als Großknecht des alten Deichgrafen, die Heirat der Tochter des Deichgevollmächtigten Jeß Harders und Erbschaft sind Stationen, die ihn bis an die oberen Schaltstellen der Dorfhierarchie führen, als er die Nachfolge Jewe Manners' als Deichgevollmächtigter antritt.

Ole Peters stellt sich primär aus Gekränktheit und Trotz den Plänen des Deichgrafen entgegen. Seine Motive sind damit nicht weniger egoistisch als Haukes. Verwinden kann er weder dessen Privilegierung durch den alten Deichgrafen, noch die Tatsache, daß Elke statt seiner Hauke heiratete. Von ihm stammt das Wort, Hauke sei Deichgraf seines Weibes wegen, und der Vorwurf, Hauke habe sich zielstrebig bereichert (vgl. 94/328). Er ist jedoch so konsequent, keine Anteile am neuen Koog zu erwerben. Er „hatte sich verbissen zurückgehalten“ (111/342). Ole Peters ist kein Anführer des Deichprojekt-Widerstandes, aber er fungiert gelegentlich als Stichwortgeber. Allerdings erlangt er durch seine Kontaktfähigkeit und seine soziale Integration jenen Einfluß, der dem verschlossenen, ich-zentrierten Hauke versagt bleibt.

Hilfe erhält Hauke hingegen immer wieder durch den alten Jewe Manners, der „als ein Mann von Tüchtigkeit und unantastbarer Rechtschaffenheit bekannt“ (90/325) ist. In der ersten Versammlung der Deichgevollmächtigten, die den Eindeichungsbefehl beraten soll, ist er es, der die keineswegs feindlich gestimmten, wohl aber unzufriedenen Kritiker zum Verstummen bringt. Ihm zollt man großen Respekt und wagt nicht zu widersprechen. Trotz des gewichtigen Fürsprechers bleibt die Distanz zum Deichgrafen und seinem Projekt bestehen. Desinteresse, Zufriedenheit mit der bisherigen Situation, ökonomische Einwände, vielleicht auch Trägheit bilden die Motive. Die Nichteinbeziehung in die Planungen rächt sich. Deutlich wird dies, als in der Diskussion um die Heranziehung eines Feldmessers einer der Gevollmächtigten zu Hauke sagt: „Ihr habt es ausgesonnen, Deichgraf; Ihr müsset selbst am besten wissen, wer dazu taugen mag.“ (91/326)

Die folgende Versammlung aller Betroffenen zeigt mehr noch als die Zusammenkunft der Gevollmächtigten die Uneinheitlichkeit der Reaktionen. Es waren „ernste Männer zugegen, die mit Ehrerbietung diesen gewissenhaften Fleiß betrachteten und sich nach ruhiger Überlegung den billigen Ansätzen ihres Deichgrafen unterwarfen“ (93/328), dann jene, die sich aus ökonomischen Gründen oder aus Furcht vor zu starker Arbeitsbelastung dem Deichneubau verschließen. Nach seiner Verteidigungsrede gegen den Vorwurf Ole Peters', er wolle sich an dem Neuland bereichern, erfährt Hauke nicht nur die Unterstützung Jewe Manners', sondern er wird auch mit „Beifallsmurmeln“ von einem „kleinen Teil der versammelten Männer“ (94/329) bedacht.

Dies zeigt, daß die Dorfbevölkerung einerseits in Unterstützer und zurückhaltende Widerständler aufgesplittert ist, und daß andererseits die Zögernden und Ablehnenden unterschiedliche Motive haben. Unrichtig ist es daher, vom Kampf des einzelnen gegen die Masse zu sprechen. Das gilt auch für die zum Deichbau eingesetzten Arbeiter: Da gibt es die einsatzfreudigen Aufseher, die gründlichen Arbeiter und die „Faulen oder Ungeschickten" (95/330). Offen auf Haukes Seite stellt sich Harke Jens, ein Freund des toten Manners. Die meisten anderen Arbeiter gehen auf Distanz zu Hauke, sei es aus religiösen oder abergläubischen Motiven, sei es wegen des herrischen Auftretens des Deichgrafen, von dem sie sich zurückgestoßen fühlen. Während die einen jeden näheren Kontakt mit ihm meiden, ihn ignorieren oder ihm mit Stillschweigen begegnen, dabei aber ihre Arbeit ohne Widerstand ausführen, sehen andere im Deichgrafen und seinem Schimmel ein unheimliches Gespann. Allerdings führt die Affäre um den kleinen Hund kurz zum offenen Aufruhr. Der Deichbau als solcher ist aber für „diese Knechte und kleinen Leute" (97/331), wie Hauke sie bezeichnet, kein Thema. Sie wehren sich nicht gegen das Projekt, denn die Neueindeichung gibt ihnen Arbeit und Lohn. Auch bei den Bediensteten im Hause des Deichgrafen wird der Deichbau nicht problematisiert. Für sie ist ihr Arbeitgeber lediglich eine unheimliche Gestalt, und ihre Furcht und Scheu wird gespeist aus den Gerüchten um den mystischen Schimmel und, soweit sie zu den Konventiklern gehören, aus dem Gerede um Haukes ketzerische Infragestellung der göttlichen Allmacht. Dennoch bleiben alle im Dienste des Deichgrafen, abgesehen von dem verängstigten Jungen Carsten, der zu Ole Peters wechselt.

Die Gegnerschaft zu Hauke und seinem Großprojekt ist letztlich weniger massiv und dramatisch, als sie in der Sekundärliteratur zum *Schimmelreiter* oft dargestellt wird. Das Hauptproblem liegt darin, daß Hauke zwar überragende intellektuelle Qualitäten besitzt, daß er aber unfähig ist, auf die Menschen und ihre Vorbehalte, Vorurteile und Ängste angemessen einzugehen. W. Freund charakterisiert den Mangel zutreffend mit dem Satz, daß Hauke Haien „befiehlt und fordert, wo er bitten und werben müßte" (1984, S. 81).

4.3 Irrationalität und Phantastik

Ein wichtiger Aspekt bei der inhaltlichen Analyse der Novelle ist die Bewertung der übernatürlichen und phantastischen Elemente auf den verschiedenen Erzählebenen. Bei der Abfassung der Novelle ging es Storm darum, daß der „Charakter des Unheimlichen" nicht verwischt werde. Seine Absicht, die im Sagenstoff eingebundenen irrationalen Momente beibehalten zu wollen, überrascht nicht. „Keine Würdigung Storms kann an der Bedeutung des magisch-mythischen Bereiches [...]vorbeigehen", betont J. Kunz (1978, S. 138); Arthur T. Alt spricht von Storms ‚lebenslänglichem Flirt mit dem Motiv des Übernatürlichen' (1976, S. 19), und Thomas Mann bemerkt: „Die volksheidnische Dichtersympathie Storms mit dem Spukhaften und Gespenstischen, dem er immer eine gewisse Realität zugesteht, äußert sich sehr stark und bestimmend in seiner Novellistik" (1960, S. 262). In der *Schimmelreiter*-Novelle ist der Charakter des Unheimlichen bewahrt, ohne daß die Erzählung je zu einer trivialen Spukgeschichte verkommt. Als Kontrapunkt zu den rationalen Anteilen stellt das Irrationale immer wieder das Rationale in Frage und umgekehrt. Dieser Ambivalenz in Natur und menschlichem Sein begegnet der Leser in der gesamten Novelle. Sie entspricht der schwankenden Bewußtseinslage des Dichters, wie er sie in einem Brief an Gottfried Keller am 4. August 1882 beschreibt. Man möge nicht vergessen, so Storm,

„daß wir hier an der Grenze Nordfrieslands [...] uns in der Heimat des Zweiten Gesichts befinden. Ich stehe diesen Dingen im einzelnen Falle zwar zweifelnd oder gar ungläubig, im allgemeinen dagegen sehr anheimstellend gegenüber: nicht daß ich Un- oder Übernatürliches glaubte, wohl aber, daß das Natürliche, was nicht unter die alltäglichen Wahrnehmungen fällt, bei weitem noch nicht erkannt ist."

Je nach Interpretationsansatz kann im *Schimmelreiter* der Schwebezustand zwischen den rationalen und irrationalen Elementen aufgehoben und eine Dominanz der einen oder anderen Seite gesehen werden.
Übernatürliches und Phantastisches finden sich in der Rahmenhandlung und in der Binnenerzählung. Die phantastische Motivik verbindet beide Erzählebenen thematisch. So löst ein Ereignis der inneren Rahmenhandlung, nämlich die Begegnung des Reisenden mit der Schimmelreiter-Gestalt, die Binnenerzählung aus; andererseits wirken unerklärliche Vorgänge in der Binnenerzählung auf die Situation in der inneren Rahmenhandlung.
Die Vorliebe für das Mystische hat die Jahrhunderte überdauert. Hauke Haiens und des Schulmeisters Zeitgenossen sehen in phantastischen Erscheinungen eine Ausdrucksmöglichkeit des Daseins. Diese kritisch zu betrachten ist ein didaktisches Ziel der Novelle, nicht aber Widersprüche und Zweifel des Autors Storm zu verwischen, zu harmonisieren oder zu leugnen.

4.3.1 Die Personen der inneren Rahmenhandlung und ihr Verhältnis zu Irrationalität und Phantastik

a) Der Reisende, der Deichgraf und die Deichwachen

Der Reisende ist der Berichterstatter der Rahmenhandlung, er beschreibt die im Wirtshaus versammelten Personen, und er ist der Referent des Binnenerzählers. Die erste Begegnung mit der Schimmelreiter-Erscheinung hat der Reisende bei seinem Ritt zu ‚nüchternen' Geschäften in der Stadt. Er schildert dem Leser eine reale Landschaft – den nordfriesischen Küstenstrich – mit realistischen Naturszenerien. Es ist keine Wirklichkeitskopie, sondern die Wirklichkeit selbst. Natur und Landschaft sind nicht nur Kulisse, wie bei vielen anderen Autoren der Gründerzeit (vgl. Hermand 1965, S. 47), sondern sie bilden mit den agierenden Menschen eine Einheit – in der Novelle und in der Realität. In einem solchen Milieu wirken die mystisch-phantastischen Elemente bedrohlicher, unheimlicher und realer als in einer künstlich geschaffenen Umgebung.

Der Reisende nennt zunächst Fakten, gibt Ort und Zeit seines Rittes an, schildert die Wetterverhältnisse und die beobachteten Auswirkungen auf die Landschaft. Er beschreibt seine sinnlichen Eindrücke, das, was er sieht, hört und fühlt. Schon „seit über einer Stunde" reitet er auf dem Deich, ohne einer Menschenseele zu begegnen. Auf der einen Seite sieht er die öde, leere Marsch, auf der anderen, „in unbehaglicher Nähe", das Wattenmeer. Die „gelbgrauen Wellen" schlagen so nah an dem Deich hinauf, daß Pferd und Reiter mit „schmutzigem Schaum" bespritzt werden. Es herrscht „wüste Dämmerung", und von Halligen und Inseln, die bei normaler Wetterlage zu erblicken sind, ist nichts wahrzunehmen. Der „halbe Mond" ist meist von „treibendem Wolkendunkel überzogen". Zuweilen ist es „pechfinster" um den Reisenden. Er hört das „Wutgebrüll" der Wellen, das „Geschrei der Vögel", das „Toben von Wind und Wasser", hört die „heulenden Böen". Er fühlt die Eiseskälte, und seine Hände sind verklommen. (Vgl. S. 3 ff./ 251 f.)

Eine derartige Szenerie kann angsteinflößend, schaurig und bedrohlich wirken. Sie selbst ist noch nicht irreal oder phantastisch, bildet aber den Hintergrund für die unheimliche Begegnung mit dem Schimmelreiter. In des ‚halben Mondes kargem Licht' sieht der Reisende eine „dunkle Gestalt" auf einem „hochbeinigen, hageren Schimmel", ein „dunkler Mantel" flattert um die Schultern, „zwei brennende Augen aus einem bleichen Antlitz" blicken auf ihn. Während der Reisende noch seinen Gedanken nachhängt, unsicher, ob es ein Trugbild war, begegnet ihm die Gestalt erneut, dieses Mal aus der anderen Richtung kommend. Unerklärlich und übernatürlich ist nicht das Auftauchen des Schimmelreiters, wohl aber, daß der Reisende, trotz Beinahe-Hautkontakts mit dem Unbekannten, zu keinem Zeitpunkt auch nur das geringste Geräusch von Roß und Reiter vernimmt. Merkwürdig ist auch dessen Verschwinden. Dort, wo der Reisende ihn aus den Augen verliert, ist nur eine Wehle mit unbewegtem Wasser. An dieser Stelle aber, und das weiß der Reisende nicht, soll sich der Hauke Haien der Binnenerzählung in den Bruch gestürzt haben.

Der Reisende unterscheidet sprachlich zwischen unsicheren Beobachtungen und solchen Dingen, die er wirklich erblickt zu haben meint. Das anfangs eher zweifelnde „glaubte ich [...] zu erkennen" (5/253) weicht bei näherem Hinsehen dem klaren „sah ich" (ebd.). Bei der zweiten Begegnung erlebt er einiges angeblich deutlich, anderes schildert er konjunktivisch: „mir war, als streifte mich", „dann war's, als säh' ich" (ebd.).

Sicher ist, daß er etwas gesehen hat, was er nach rationaler Beurteilung nicht hätte sehen dürfen. Sein Zutrauen zu der eigenen Unterscheidungsfähigkeit unterstreicht er, als er den Schulmeister vor Beginn der Hauke-Haien-Erzählung selbstbewußt auffordert, nichts zu verschweigen, denn er werde „schon selbst die Spreu vom Weizen sondern" (9/256) können. Auch dem Leser traut Storm damit die Fähigkeit zu, Phantastik und Wirklichkeit auseinanderzuhalten und sich selbst ein Urteil zu bilden.

Auffällig ist die Zurückhaltung, mit der der Reisende am Schluß der Novelle den ‚aufgeklärten' Schulmeister charakterisiert: „Er scheint [!] ein verständiger

Mann!“ (145/372) Das ist positiv gemeint, wird auch vom Deichgrafen entsprechend aufgefaßt. Dessen Einwand, daß er, der Fremde, den Schimmelreiter mit eigenen Augen gesehen habe, kommentiert der Reisende zweideutig: „Das muß beschlafen werden!“ (145/372) Der Reisende, der unvoreingenommen und ohne Kenntnis der Schimmelreiter-Sage in diese Gegend kam, ist nach diesem wechselvollen Abend – hier die Begegnung mit dem unheimlichen Reiter, dort die Berichte der Dorfbewohner, hier die Relativierungen durch den Schulmeister, dort der Deichbruch – weder von der Realität der Schimmelreiter-Gestalt überzeugt, noch stellt er sie in Abrede.
Nicht bezweifelt wird ihre Existenz vom Deichgrafen und den anderen Männern der Deichwache. Der Bericht des Reisenden erschreckt sie. Keiner von ihnen hält das Erlebnis für Phantasterei. Der Deichgraf als Wortführer versucht lediglich, die Angst der Deichgevollmächtigten zu mindern, daß die Schimmelreiter-Erscheinung zwangsläufig einen Deichbruch auf *ihrer* Seite zur Folge haben müsse. Einen Bruch werde es geben, aber der könne auch auf der anderen Seite eintreten.
Während sie in der Wirtsstube beisammensitzen, glauben erst einzelne, nach und nach aber alle zu beobachten, wie der Schimmelreiter draußen am unverhangenen Fenster vorüberreite. Ist es, nach dem Bericht des Reisenden und unter dem Eindruck der vom Schulmeister begonnenen Hauke-Haien-Geschichte – gerade hat man von Hauke Haiens Begegnung mit den „Seegespenstern“ gehört –, nur Einbildung? Täuscht die Natur ihnen draußen, wo der Sturm die Wolken treibt und Licht und Dunkel durcheinanderjagen (vgl. 17/263), nur die gespenstische Gestalt vor? Als eindeutige Antwort hierauf läßt sich der Auftritt der beiden Deichwachen interpretieren, die übereinstimmend berichten, sie hätten gesehen, wie sich der Schimmelreiter „in den Bruch gestürzt“ (55/295) habe. Diese beiden, vom Deichgrafen als „sichere“ (7/254), also verläßliche Leute charakterisiert, haben weder von der Begegnung des Reisenden gehört, noch haben sie der Erzählung des Schulmeisters gelauscht, noch sind sie durch die anderen Gespräche, die inzwischen in der Wirtsstube geführt wurden, vorbelastet. Ihre Beobachtung erfolgte also vollkommen unabhängig von der möglichen Suggestivkraft der geschilderten Vorgänge. Der Leser muß selbst entscheiden, ob er die Schimmelreiter-Gestalt als ein Phantasieprodukt der Marschbewohner abtun will, auch wenn einheimische und auswärtige Personen an verschiedenen Orten und zu verschiedenen Zeiten Gleichartiges gesehen haben wollen.
Vom Deichgrafen und den anderen Deichwachen wird der Bericht der zwei Männer nicht angezweifelt. Für sie ist das Erscheinen des Schimmelreiters Hinweis auf einen Deichbruch. Sie gehen hinaus, um sich davon zu überzeugen, und tatsächlich ist der Deich auf der gegenüberliegenden Seite zerstört. Damit werden der Deichgraf und seine Leute in ihrem Glauben an die Realität der Schimmelreiter-Gestalt und ihre symbolische Bedeutung bestätigt. Etwas anders beurteilt der Schulmeister die Vorgänge im Rahmenteil der Novelle.

b) Der aufklärerische Schulmeister

Als einen von „den Aufklärern" (145/372) bezeichnet der Deichgraf den Schulmeister. Die Art der Formulierung enthält eine negative Wertung, jedoch wird nie so recht deutlich, was er mit dem Begriff „Aufklärer" konkret verbindet. Lediglich sein Hinweis auf Antje Vollmers, die er als phantasievollere, die phantastischen Elemente nicht verschweigende Erzählerin der Hauke-Haien-Geschichte und als Alternative zu unserem „aufklärerischen" Erzähler hervorhebt, gibt einen Fingerzeig.

Der Schulmeister hat in seiner Jugend Theologie studiert, mithin auf dem Höhepunkt der Aufklärungsepoche zwischen 1770 und 1790. Eine kleine Bibliothek dokumentiert seinen Bildungsstand. Daß er im Wirtshaus „abseits hinter dem Ofen" (8/255) sitzt, mag bildhaft seine Außenseiterposition beschreiben. Er wird aber keineswegs gemieden, sondern von den Anwesenden als einer der ihren angesehen, zumal er aus der Gegend stammt, und als *die* Erzählautorität anerkannt: Von ‚unserem Schulmeister' (8/255; 145/372) spricht der Deichgraf. Der Unterhaltungston zwischen beiden vermittelt den Eindruck, daß jeder seinen festen Standpunkt hat, daß man die Auffassung des anderen respektiert, ohne sie zu übernehmen, ja, man erlaubt sich auf gutmütige Weise ironische Anspielungen auf die jeweilige Denkungsart des anderen. Der Reisende beschreibt den Schulmeister als ein „Männlein" (145/371), klein, hager, etwas verwachsen, mit spärlichem grauem Haar und schlecht gekleidet. Seine Stimme wirkt kränklich. Diese wenig ansprechenden äußeren Merkmale werden durch Attribute wie fein, ernsthaft, freundlich und klug relativiert.

Nicht ohne Grund überträgt Storm dem aufklärerischen Schulmeister die Erzählerrolle. Er dient als Gegengewicht zur wundergläubigen Wirtshausgesellschaft, und er weiß die Hauke-Haien-Geschichte so wiederzugeben, daß sie nicht zu einer trivialen Gruselgeschichte verkommt. Offenbar überzeugt davon, daß sein ‚aufklärerisches Bewußtsein' das richtige Bewußtsein ist, verhält er sich in der Rahmenhandlung bisweilen so herablassend gegenüber den anderen, daß er, trotz der positiven Eigenschaften, die der Reisende ihm zuerkennt, beim Leser auch einen negativen Eindruck hinterläßt.

So nennt er mit einem ‚überlegenen Lächeln' Antje Vollmers einen „dummen Drachen", dem er nicht „zur Seite" gestellt werden möchte (8/255). Ein „überlegenes, fast mitleidiges Lächeln" (55/296) zeigt er auch, als seine Zuhörer sich hinausbegeben, um den von der vermeintlichen Schimmelreiter-Erscheinung angezeigten Deichbruch zu besehen. Die Aufgeregtheit des Deichgrafen und der anderen Wachen hält er zudem noch für unangebracht: „ich kenne die Wetter hier am Deich, für uns ist nichts zu fürchten" (56/296). Seine demonstrierte Überlegenheit äußert sich hier als Überheblichkeit, beurteilt er doch, in der Gaststube sitzend und ohne eigenen Augenschein, die aktuellen Wetterverhältnisse und die Standfestigkeit der Deiche. Auch wenn sich schließlich herausstellt, daß nicht hier, sondern der Deich „drüben an der andern Seite" (145/372) gebrochen ist, hatte die erhöhte Aufmerksamkeit der Deichwachen doch ihre Berechtigung, zumal der

Deichschutz ihre Aufgabe ist. Und von der „weiten Verwüstung“ (146/372) überzeugt sich am nächsten Morgen auch der Fremde. So hat der Deichgraf nicht unrecht, wenn er den Schulmeister einmal als „hochmütig“ (8/255) charakterisiert. Ihn als einen bornierten und deshalb „unzuverlässigen Berichterstatter“ zu bezeichnen (vgl. Coupe 1977, S. 17), erscheint jedoch überzogen.
Storm gibt dem Schulmeister durch die Übertragung der Funktion des Binnenerzählers ein starkes Gewicht, mindert es aber zugleich durch dessen Anmaßung. Diese mag aus dem inneren Konflikt resultieren, daß er einerseits zugestehen muß, daß es „auf Erden allerlei Dinge“ gibt, „die ein ehrlich Christenherz verwirren können“ (16/263), daß er andererseits für rationale Erklärungen plädiert, ohne solche jedoch in allen Situationen bereit zu haben.
Erneut ist der Leser aufgerufen, selbst die Entscheidung zu treffen, wo zwischen Phantasie und Wirklichkeit die Trennungslinie zu ziehen ist.

4.3.2 Irrationalität und Phantastik in der Hauke-Haien-Geschichte

Die Binnenerzählung ist geprägt von einem extensiven Detailrealismus und von Elementen der Phantastik und des Aberglaubens. Der tiefsitzende Glaube an übernatürliche Kräfte wird auf unterschiedliche Weise in Worten und Handlungen deutlich. Auch rational bestimmte Menschen wie Tede Haien, Elke oder die Hauptfigur Hauke, der in seinem Denken verwandte Züge mit dem Schulmeister aufweist, sind nicht frei davon.
So tut der alte Haien die phantasievolle Darstellung einer jungen Frau, die von ihr erblickten angeschwemmten Leichen hätten wegen ihrer großen Köpfe wie Seeteufel ausgesehen, nüchtern mit dem Hinweis ab, daß sie eben schon lange im Wasser getrieben sein müßten (vgl. 14 f./261). Andererseits bittet er Trin' Jans, nichts davon zu verbreiten, daß ein totes Tier, der ermordete Kater, auf seinem „ehrlichen Tisch gelegen hat“ (22/267). Der Tisch ist ihm durch das tote Tier, welches dem Abdecker, einem als ‚unehrlich‘ geltenden Beruf, überantwortet werden soll, ebenfalls ‚unehrlich‘ geworden.
Auch der rational denkende Hauke Haien ist den irrationalen Einflüssen nicht ganz verschlossen. So beobachtet der junge Hauke in der Abenddämmerung aus Eisspalten aufsteigende Rauchwolken, und es ist ihm, als sähe er dunkle Gestalten, die sich auf- und abbewegen. Hauke ist sich nicht sicher, ob es nur ein verwirrendes Naturschauspiel ist, vielleicht sind es die Geister der Ertrunkenen. Er macht sich Mut, ruft sie an, „aber die draußen kehrten sich nicht an seinen Schrei“ (16/262). Sogar die „furchtbaren norwegischen Seegespenster“ (ebd.) kommen ihm in den Sinn. Trotzig, wenn auch verunsichert, widersteht er dem geheimnisvollen Gaukelspiel: „ihr sollt mich nicht vertreiben!“ Er wartet bis zur Dunkelheit und geht dann „steifen, langsamen Schrittes heimwärts“ (16/262). Jahre später weiß Hauke eine rationale Erklärung: Es waren hungrige Vögel, die in den rauchenden Eisspalten nach Fischen jagten.
Widerstand gegen den Aberglauben der Marschbewohner leistet er auch, als er den

Hund davor bewahrt, nach der Tradition der Großväter als Deichopfer im neuen Deich begraben zu werden. Eine derartige heidnische Opfergabe ist für ihn nichts anderes als „Frevel" (106/338). In der Sturmflutnacht begeht er jedoch selbst diesen Frevel, stürzt sich mit seinem Schimmel in die Fluten, bringt sich und das Pferd als Opfer.
Der Kauf des Schimmels, die Umstände des Erwerbs und der auffallend enge, fast symbiotische Zusammenhalt zwischen dem Tier und dem Deichgrafen, geben im Dorf von Beginn an Anlaß zu Gerüchten, die genährt werden aus Aberglauben, Mystizismus und Phantasiegespinsten. Hauke selbst trägt dazu bei, als er seiner Frau ernst und ohne Anflug von Ironie berichtet, er habe das Tier von einem Mann erstanden, der eine braune Hand hatte, „die fast wie eine Klaue aussah". Und dieser Mann habe hinter ihm hergelacht „wie ein Teufel". Die sonst wenig abergläubische Elke reagiert in irrationaler Angst: „Pfui [...], wenn der Schimmel nur nichts von seinem alten Herrn zubringt!" (84/320) Die Umstände des Pferdekaufs wirken wie ein Teufelspakt. Der Handel wird durch den symbolträchtigen Kaufpreis von dreißig Talern nicht weniger geheimnisvoll, erinnert die Summe doch an den Judaslohn von dreißig Silberlingen. Andere mysteriöse Vorgänge werden daher von den abergläubischen Dorfbewohnern schon bald damit in Zusammenhang gebracht.
Seit langem ist vom Festland aus auf Jevershallig das Gerippe eines Pferdes zu sehen. Eines Abends glauben der Knecht Iven Johns und ein Tagelöhner „im trüben Mondduft" (76/313) beobachten zu können, daß sich dort eine große „lebige Kreatur" (ebd.) bewege. Auch Carsten, der Dienstjunge des Deichgrafen, meint, etwas sehen zu können, vielleicht ein Pferd, einen Schimmel. Keineswegs hält er es von vornherein für einen Spuk, sondern überlegt nüchtern, ob jemand das Pferd hingebracht haben könnte oder ob sie einer Sinnestäuschung unterlegen wären: „Vielleicht auch ist es nur ein Schaf; Peter Ohm sagt, im Mondschein wird aus zehn Torfringeln ein ganzes Dorf." (77/314) Aber auch um eine irrationale Erklärung ist Carsten nicht verlegen: „Mitunter, ich weiß nicht in welchen Nächten, sollen die Knochen sich erheben und tun, als ob sie lebig wären!" (77/314) Der Knecht hält solche Spekulationen für „Altweiberglaube" (78/314).
Beide wollen selbst der Sache auf den Grund gehen. Ihr Bemühen um eine rationale Erklärung zeigt, daß sie nicht so unverständig und vom Aberglauben geleitet sind, um sich anderen Einsichten zu verschließen. Ihre Untersuchung am nächsten Abend ergibt zwei Resultate, jeweils abhängig von der Position des Beobachters. Während Iven Johns, der auf dem Deich zurückbleibt, den Schimmel zu sehen meint, entdeckt Carsten, der zur Hallig rudert und sie gründlich überprüft, nichts von einem lebenden Tier, sondern findet nur die Knochen der Schafe und auch das Pferdegerippe.
Der Vernunftschluß müßte ergeben, daß das weidende Pferd am anderen Ufer nur durch die Licht-, Luft- und Entfernungsverhältnisse vorgetäuscht wird. Aber sie reagieren völlig anders, als sie beide vom Deich aus wieder die Tiergestalt auf der Hallig sehen. Carsten ist entsetzt und Iven verwirrt: „von hier aus geht's wie lebig, und drüben liegen nur die Knochen – das ist mehr, als du und ich begreifen kön-

nen" (81/317). Übermächtigt vom scheinbar Unerklärlichen fügt er noch eine abergläubische Weisheit hinzu: „Schweig aber still davon, man darf dergleichen nicht verreden!" (ebd.)
Die erste Begegnung mit Haukes neuem Pferd erzeugt bei Carsten nur Schrecken. Für ihn steht bald unumstößlich fest, daß Haukes Schimmel identisch ist mit der Tiererscheinung auf der Hallig. Letzter Beweis für ihn ist das angebliche Verschwinden des Gerippes. Weder bei Tag noch bei Mondschein sei es noch zu erblicken. Die intensive Einbildung, das Pferd stehe nun im Stall des Deichgrafen, scheint zu einer begrenzten Wahrnehmungsfähigkeit zu führen, welche sich auf viele andere Dorfbewohner überträgt. Erst nach der Flutkatastrophe, nach dem Tod Haukes und des Schimmels, will man das Gerippe wieder gesehen haben.
Iven Johns hält nichts von Carstens Vermutungen: „Wie kann so ein Allerweltsjunge wie du in solch Altemweiberglauben sitzen!" (87/323) Er erkennt nichts Besonderes darin, daß das Pferd Hauke besonders zugeneigt ist und sich anfangs auch dem Umgang mit anderen Menschen widersetzt. Für Carsten steckt in der Situation soviel Unheimliches, daß er seinen Dienst kündigt und als Knecht zu Ole Peters geht. „Hier fand er andächtige Zuhörer für seine Geschichte von dem Teufelspferd des Deichgrafen." (ebd.) Man hört in „behaglichem Gruseln" (ebd.) zu und verbreitet die Geschichte weiter. Daß Carsten gerne solche Dinge erzählt, zeigt auch der gestrichene Schluß der Novelle (vgl. 1.3.2). Da kümmert ihn auch nicht der Einwand Iven Johns', man dürfe „dergleichen nicht verreden".
Die Anpassungsfähigkeit eines einmal gefaßten Vorurteils belegt die Reaktion der Leute auf das Verhalten des Schimmels. So wird anfangs dessen Renitenz als böse und teuflisch interpretiert. Als Hauke später einem der Deichbauarbeiter das Tier zum Halten gibt, begründet dieser seine Angst und Verkrampfung mit den Worten: „Herr, Euer Pferd, es ist so ruhig, als ob es Böses vorhabe!" (96/330) Der Schimmel und sein Besitzer bleiben von Aberglauben umwoben, gleichviel wie Hauke und das Tier sich zeigen. Als Hauke in seinem Gebet für die kranke Elke Gottes Allmacht in Frage stellt, erkennt man im Dorf sofort einen Zusammenhang: „Er war ein Gottesleugner; die Sache mit dem Teufelspferd mochte auch am Ende richtig sein!" (100/333)
Einen ebenfalls rational nicht erklärbaren Zusammenhang sieht Trin' Jans zwischen Haukes Tat, ihren Kater ermordet zu haben, und der Stumpfsinnigkeit Wienkes: „Du strafst ihn, Gott der Herr! Ja, ja, du strafst ihn!" (114/345) Trin' Jans ist jene Gestalt der Binnenerzählung, in der die Verbreitung von unheimlichen Geschichten, die Überlieferung von Aberglauben und Phantastik, verkörpert scheint. Sie ähnelt der Lena Wies aus Storms Bekanntenkreis. Wenn sie ihre Geschichten, wie diejenige vom gefangenen Wasserweib, erzählt, dann kniet Wienke an ihrer Seite und lauscht, so wie es Storm einst in Lena Wies' Stube getan haben mag.
Eine Reihe mysteriöser Begebenheiten kündigt, zum Teil schon Jahre vorher, die kommende Flutkatastrophe an. Den ersten Hinweis gibt die im Fieberwahn sprechende Elke. „Wasser! Das Wasser!" wimmert sie. Dann: „Halt mich! halt mich, Hauke!" Schließlich: „In See, ins Haf hinaus? O lieber Gott, ich seh ihn nimmer

wieder!“ (98/332) Niemand unter den Anwesenden begreift diese Worte als Vorausdeutung.

Den zweiten Fingerzeig gibt das Verhalten der schwachsinnigen Wienke, als sie sich mit dem Vater an jenem Ort befindet, an dem später der Deichbruch erfolgen wird: Plötzlich richtete das Mädchen die „Augen fest auf den Boden“ und „hielt den Atem an; es war, als sähe sie erschrocken in einen Abgrund“ (122/352). Auch dieser Vorfall wird nicht als Omen gedeutet.

Das unruhige Gewissen, das Hauke angesichts der notdürftig ausgebesserten Deichstelle umtreibt, macht ihn aber aufnahmefähig für das dritte Zeichen. Es ist im Katastrophenjahr, als Trin' Jans mit den Worten stirbt: „Hölp mi! Hölp mi! Du bist ja bawen Water ... Gott gnad de annern!“ (130/358) Hauke erkennt dieses, wenn auch widerwillig, als Warnung: „Was wollte die alte Hexe? Sind denn die Sterbenden Propheten – –?“ (ebd.)

Die seherischen Fähigkeiten der drei in Ausnahmesituationen befindlichen weiblichen Personen – die fiebernde Elke, die stumpfsinnige Wienke, die sterbende Trin' Jans – sind rational nicht erklärbar, ihre Vordeutungen gehen aber real in Erfüllung.

Das dreifache Omen ist nicht als Aberglaube abzutun, sondern es gehört für Storm wohl zu jenen Erscheinungen, für die der Mensch bislang noch keine hinreichende vernünftige Deutung weiß. Es ist auch als Mahnung des Autors zu begreifen, sensibel zu sein für Vorgänge in unserem Dasein, die mit der Vernunft zu streiten scheinen, nur weil sie unserer begrenzten Wahrnehmungsfähigkeit und unserem eingeengten Verstandeshorizont nicht zugänglich sind.

Was schließlich noch vor der Flutkatastrophe an Unheimlichem und Mystischem geschehen sein soll – die Rede ist von „allerlei Unheil und seltsamem Geschmeiß“ (130/359) –, ist eine Mischung von erklärbaren Vorfällen und ‚abergläubischem Geschwätz‘ (132/360). Storm trennt in der Erzählung deutlich beide Bereiche. Sicher war, daß der goldene Hahn durch einen Wirbelwind von der Turmspitze geblasen wurde, und richtig war auch, daß im Hochsommer, „wie ein Schnee, ein groß Geschmeiß vom Himmel“ (130/359) fiel. Eine natürliche Erklärung ist für beide Vorgänge denkbar (vgl. den Wort- und Sachkommentar zu *Geschmeiß*). Dann folgen jene Berichte über unheilvolle Erscheinungen, die der Erzähler als ‚abergläubisches Geschwätz‘ bezeichnet. So schildert die Magd Ann Grete Dinge, die auf der gegenüberliegenden Landseite geschehen sein sollen und welche sie aus dem Mund anderer gehört hat. Durch diese Relativierungen gerät das Berichtete zum unglaubwürdigen Gerücht, das auch durch die Bemühungen der Magd, dem Schrecken über das Gehörte Ausdruck zu geben, nicht an Wahrheitsgehalt gewinnt (vgl. 131/360). Auch hiervon ist manches als Naturphänomen zu erklären (vgl. Wort- und Sachkommentar), anderes wird, so zeigt Storm, durch die Phantasie der Menschen hinzugedichtet und verwoben zu einem unheimlichen Gesamtbild.

In ihrem Denken können sich am Schluß der Hauke-Haien-Geschichte all jene bestätigt sehen, die an die unheilvollen Warnzeichen glaubten, denn das „Unglück über ganz Nordfriesland“ (131/360), das sie kommen sahen, kam tatsächlich. Als

Plädoyer Storms für Aberglauben, Irrationalität und Unvernunft ist die Novelle dadurch nicht zu begreifen. Der Autor macht aber bewußt, wie schwer einerseits die unseriöse irrationale Denkweise zu bekämpfen ist, weil viele Menschen offenbar leichter mit der sicheren Unwissenheit als mit einem verunsichernden Wissen über Dinge und Zusammenhänge leben wollen und können. Andererseits betont Storm, daß rationales Denken nicht den Verzicht auf sensibles Wahrnehmen und Verarbeiten scheinbar unbegreiflicher Dinge bedeutet.

Der feinen Ausgewogenheit von realistischer Darstellung, Rationalität und Phantastik, welche die Novelle kennzeichnet, hätte es sehr geschadet, wenn Storm den ursprünglichen Schluß (vgl. Abdruck im Kap. 1.3.2) beibehalten hätte. Er entschloß sich gerade zur Streichung, weil diese Stelle „zu sehr aus der Stimmung fiel". Tatsächlich wirkt sie aufgesetzt und trivial. Die im Dorf erzählte Variante vom Ende Hauke Haiens, die der Schulmeister wiedergibt, erscheint mit ihren ausschweifenden Übertreibungen wie eine Parodie. Ebenso unpassend ist die simple Auflösung des Schimmelreiter-Geheimnisses, wenn der Schulmeister den Reisenden darauf hinweist, die von ihm beobachtete gespenstische Gestalt könne ja der Bruder des Sophienhofbesitzers gewesen sein. Der Leser müßte sich dann fragen, warum der Reisende keinen Hufschlag und kein Keuchen des Pferdes gehört hat.

4.4 Gott und Religiosität

Nicht nur Phantastik und Aberglaube, von Hauke als ‚Heidenlehre' (107/339) bezeichnet, sondern auch der christliche Gott sind in der Novelle, zumindest mittelbar, immer gegenwärtig. Gottesglaube und Aberglaube beinhalten beide die Hinwendung zu etwas Übernatürlichem und mit den menschlichen Verstandeskräften nicht Faßbarem. Die Neigung, Unbegreifliches oder Unerklärliches irrationalen Kräften oder Gott zuzuschreiben, besteht sowohl beim abergläubischen wie beim gottgläubigen Menschen.

Was die religiöse Einstellung der Personen der Rahmenhandlung angeht, so liefert dieser Erzählteil so gut wie keine Informationen. Lediglich vom Schulmeister ist zu erfahren, daß er ein aufgeklärter Theologe ist und sich selbst als Christenmensch sieht (vgl. 97/331; 103/336). Mehr ist über die Personen der Binnenerzählung herauszufinden. Eine anti-religiöse Einstellung zeigt niemand, doch es gibt unterschiedliche Formen der Religionsausübung.

Da sind einmal die sektiererischen Konventikler, die sich im Dorf um einen holländischen Schneider scharen. Das Konventikelwesen ist historisch belegbar. Es hatte sich unter der dünnen Oberfläche von Kirchenchristentum schon im 17. Jahrhundert, in Nordfriesland dann Anfang des 18. Jahrhunderts ausgebreitet. In den Konventikeln mischten sich „pietistisches Gedankengut und älterer Quäkergeist" zu einer einflußreichen sektiererischen Erweckungsbewegung (vgl. Holander 1976, S. 68 ff.)

Unter jenen, die nicht den Konventiklern zuzurechnen sind, fällt weniger die

Gottgläubigkeit von Trin' Jans, Tede Volkerts oder Tede Haien auf, als vielmehr die von Jewe Manners, Elke und Hauke Haien. In diesen drei Menschen, die den Deichbau befürworten oder solidarisch mittragen, manifestiert sich am entschiedensten eine intensive Beziehung zu Gott.

So beruft sich Jewe Manners in seiner Unterstützungsrede für das Deichbauprojekt mehrfach auf Gott. Er dankt Gott, daß er das Land bislang vor Fluteinbruch bewahrt habe; er ruft die Versammelten auf, nicht weiter „auf Gottes Langmut" zu bauen, sondern selbst etwas zum Schutz zu unternehmen, und er unterstreicht, daß Hauke Haien den neuen Deich „nach ihm von Gott verliehener Einsicht projektiert habe" (89 f./325). Jewe Manners' Botschaft besagt zum einen, daß der Glaube an Gott den Menschen nicht von eigenständigem Handeln entbinde; zum anderen erhebt sie Haukes Plan zu einem von Gott inspirierten und damit gottgesegneten Werk. Jewe Manners unterstreicht dieses später: „Unser Herrgott wird dir dein Werk gelingen lassen." (94/329)

Jewe Manners ist der Pate Elkes. Ihr christlicher Glaube wird wesentlich in ihren Gebeten sichtbar. Gott ist ihr Gesprächspartner in schweren Stunden, so bei der Beerdigung ihres Vaters, als sie „voll Inbrunst" (60/300) das Vaterunser betet, so in der Sturmflutnacht, als Hauke hinausreitet: „Herr Gott und du mein Jesus, laß uns nicht Witwe und nicht Waise werden! Schütz ihn, o lieber Gott; nur du und ich, wir kennen ihn allein!" (135/363) Mit Hauke besucht sie gemeinsam den sonntäglichen Gottesdienst, aber sie mißbilligt, im Gegensatz zu Hauke, daß die Magd Ann Grete und der Dienstjunge die Versammlungen der Konventikler besuchen.

Hauke zeigt hier eine unerwartete Toleranz. Er ist sich dabei bewußt, daß auch sein Christentum sowohl von den Konventiklern als auch von dem allgemeinen Kirchenchristentum abweicht. Er hatte sich „sein eigen Christentum zurechtgerechnet" (98/332). Dieses führt in einem Fall zum verbissenen Konflikt mit den Sektierern: Als er Gott um das Leben seiner im Kindbett schwer erkrankten Elke bittet und sagt: „Ich weiß ja wohl, du kannst nicht allezeit, wie du willst, auch du nicht" (99/332), habe er, wie einer der Sektenprediger verbreiten läßt, nicht nur die Allmacht Gottes bestritten, sondern auch „den Feind Gottes, den Freund der Sünde, zu seinem Tröster" (101/334) gemacht. Hauke wird so zum Opfer der von ihm Tolerierten, was Elkes Skepsis den Konventiklern gegenüber gerechtfertigt erscheinen läßt. Der „liebe Gott ist überall" (121/352), sagt Hauke zu Wienke, als sie Vögel und Fische beobachten. In dieser Version wäre Gott nicht personifiziert, sondern Ausdruck alles dessen, was uns umgibt. Umgekehrt spricht Hauke auch von „unseres Herrgotts Meer" (128/357). Gott wird von ihm oft in Reden und Gedanken einbezogen. „Das überlassen wir dem Herrgott", sagt er, als Elke ihre Kinderlosigkeit beklagt (83/319); „nur Gott kann helfen" (98/332), denkt er bei Elkes schwerer Krankheit; „mit Gott den Schluß" (108/340), verkündet er den Arbeitern vor der Fertigstellung des Deiches. Gott fragt er auch, warum gerade sie ein schwachsinniges Kind bekommen hätten: "der Allmächtige gibt den Menschen keine Antwort – vielleicht weil wir sie nicht begreifen würden." (118/349) Der kleinen Wienke gibt er nach dem Tod der Trin' Jans die Auskunft, sie sei jetzt

bei Gott. Und auf die Frage des Kindes, ob es denn gut sei bei dem lieben Gott, antwortet Hauke: „Ja, das ist das Beste." (130/359)
Hauke glaubt an den ewigen Richter, an Gottes Thron, vor dem man seine Schuld bekennen muß. Als er in der Sturmflutnacht den nahen Tod ahnt, da tritt er ein in einen letzten Dialog mit einem Gott, der nicht antwortet oder dessen Antworten der Mensch nicht begreift. „Herr Gott, ja ich bekenn es" (141/368), beichtet Hauke sein fahrlässiges Handeln; „Herr mein Gott, sei gnädig mit uns Menschen!" bittet er dann (ebd.); und mit seinem letzten Anruf: „Herr Gott, nimm mich; verschon die andern!" (143/370) begibt er sich in die Hände seines Richters.
Die Tatsache, daß die große Sturmflut kurz vor dem Allerheiligentag einsetzt, hat weniger mit der christlichen Symbolik dieses Tages zu tun als mit den Äquinoktialstürmen, die um diese Zeit häufig große Sturmfluten in Nordfriesland brachten, so 1436, 1532 und 1570. Die Predigten zum Allerheiligentag gerieten meistens zu wahren Strafpredigten über die Sündhaftigkeit der Menschen, die nun von Gott einen warnenden Fingerzeig erhalten hätten.
Die starke Betonung von Gott und Religiosität in der *Schimmelreiter*-Novelle überrascht, wenn man an Storms antiklerikale Position denkt, die es nicht zuließ, daß ein Priester an seinem Grabe sprach. Er hielt es mit der Religion wie die von ihm bewunderte Lena Wies (vgl. Werke 4, S. 410). In einem Brief an Emil Kuh vom 24. Februar 1873 bezieht er sich auf sie und erklärt: „Es ist mir daher weder von ihr noch sonst von irgendeiner Seite von religiösen Glaubensdingen in meiner Jugend vorgeredet worden. Mir ist nie dergleichen oktroyiert; und das rechne ich mit zu dem Besten, was mir derzeit widerfahren ist." (Werke 4, S. 672f.) In einem weiteren Brief an Kuh, datiert 13. August 1873, schreibt Storm: „die Luft des Hauses war gesund; von Religion oder Christentum habe ich nie reden hören; ein einzelnes Mal gingen meine Mutter oder Großmutter wohl zur Kirche, oft war es nicht; mein Vater ging gar nicht, auch von mir wurde es nicht verlangt. So stehe ich dem sehr unbefangen gegenüber".
Nie läßt sich Storm im *Schimmelreiter* zur Verächtlichmachung des Christentums hinreißen. Auch gibt er, der 1865 seinem Freund, dem Dichter und Pfarrer Eduard Mörike, bekannte, daß er dessen „glücklichen Glauben nicht zu teilen" vermöge (Brief vom 3. Juni 1865), keiner der Personen der Novelle Züge dumpfer, unerträglicher Bigotterie. Im Gegenteil ist gerade auch der Pastor als Förderer Haukes positiv dargestellt. Das Christentum eines Jewe Manners, Elkes und Haukes zeigt, daß nicht nur der Einfältige, sondern auch der kluge, pragmatisch denkende Mensch das Bedürfnis nach Hinwendung an eine überirdische Instanz haben kann. Rationales Denken läßt sich offenbar mit dem Glauben an einen Gott vereinbaren. Die Novelle läßt sogar den Schluß zu, daß mit zunehmendem Einblick in die Daseinszusammenhänge auch die Beziehungen zu Gott intensiviert werden. Die innere und äußere Einsamkeit, in der Hauke und Elke leben, stärkt ihre Bereitschaft zur Hinwendung an ihren Gott. Wie der sonntägliche Kirchgang den Menschen des Dorfes die Chance bietet, für einige Stunden der Einsamkeit ihrer weit verstreut liegenden Marschgehöfte zu entkommen, so ist auch das Gespräch

mit Gott Trost in der Einsamkeit oder eine Flucht aus ihr. Freiwillig unterwirft man sich einem höheren Herrn. Man begegnet ihm bittend und in Demut. Ein Hauke Haien spricht mit seinem Gott wie jene, auf die er „mitleidig" herabsieht, vermutlich auch mit ihrem Gott sprechen. Auf der Stufe des Glaubens erfolgt die Annäherung der Menschen des Dorfes, erfolgt auch der Ruf nach Versöhnung, als Hauke Gott um die Annahme seiner Person als Opfer bittet.

4.5 Natur und Landschaft

Natur und Landschaft sind in der *Schimmelreiter*-Novelle nicht schmückendes Beiwerk, sondern wichtiger Bestandteil der Handlung. Das Meer, eines der Leitmotive der Novelle, die Deiche, die Fennen, die Gestirne, die Pflanzen und Tiere gehören zum täglichen Leben der Marschbewohner. So ist der Deich Garant ihres Lebens und Überlebens. Der Deich schützt das Land, auf dem Obst und Gemüse wachsen, auf dem die Tiere weiden und die Menschen leben.

Das Meer spielt in der Novelle keine Rolle als Nahrungsspender, als Verkehrsweg für Schiffe, als Ort freizeitlichen Vergnügens, wie in *Psyche*, oder als romantische Kulisse. In seiner Novelle *Eine Halligfahrt*, in der das Idyll von Meer und Küstenlandschaft beschrieben wird, gewinnt Storm sogar der Bedrohung durch schäumende, tobende Wasserberge eine positive Seite ab. „Sie glauben nicht", heißt es dort, „wie erquicklich es ist, sich einmal in einer andern Gewalt zu fühlen als in der unserer kleinen regierungslustigen Mitkreaturen!" (Werke 2, S. 303) Im *Schimmelreiter* begegnet dem Leser das Meer als eine ständig lauernde düstere Bedrohung, als gefährliches Tier, das den Tod bringen kann. „Hat es Beine? [...] kann es über den Deich kommen?" (117/348) fragt Wienke den Vater. An anderer Stelle findet sich über die hereinstürzenden Wassermassen ein ähnliches Bild: „Mit weißen Kronen kamen sie daher, heulend, als sei in ihnen der Schrei alles furchtbaren Raubgetiers der Wildnis." (137/365) Entsprechend „beißen" die „Wasser" in den Deich (12/259).

Das Meer schafft zwar den guten Boden und liefert die fruchtbare Kleierde, aber um diese nutzen zu können, muß der Mensch das Chaos bändigen, muß er der ungestümen Wassergewalt mit Deichen, Schleusen, Sielen und Sperrwerken ein Sicherheits- und Ordnungssystem entgegensetzen. Meer und Deich sind die zentralen Symbole der Novelle: das Meer als Ausdruck ungebändigter Natur – der Deich als Ausdruck menschlicher Erfindungskunst; das Meer als Sinnbild natürlicher Kraft – der Deich als Sinnbild menschlicher Geistes- und Körperkraft. Der Deich ist auch zu begreifen als sichtbare Erfüllung des Gottesgebotes, der Mensch solle sich die Erde untertan machen (vgl. 1. Mose 1, 28).

Das Meer, in dem das Leben der Erde seinen Anfang nahm, trägt in sich auch Verderben und Tod. Der Mensch kann die Gefahren mindern, aber nicht völlig verhindern. Das wird Hauke in der Sturmflutnacht bewußt. Ihm war, „als sei hier alle Menschenmacht zu Ende; als müsse jetzt die Nacht, der Tod, das Nichts hereinbrechen" (137/365). Das Meer zeigt sich von dem neuen Deich unbeeindruckt, die

Wassermassen strömen durch das „gespenstische neue Bett des Prieles“ (128/357) gegen das Deichsystem und suchen Durchlaß.
Storms Beschreibungen des Meeres und der Küstenlandschaft sind von poetischer Schönheit. Nicht mit weitausholenden Schilderungen zur Erzeugung poetischer Stimmungen, sondern zumeist nur mit wenigen Sätzen erreicht er eine intensive Spannung, nicht zuletzt durch den häufigen Gebrauch der Alliteration, von der eine „Art Bannwirkung“ (vgl. Schumann 1962, S. 28) ausgeht. Zur Verdeutlichung einige Satzfragmente:

„die öde, bereits von allem Vieh geleerte Marsch“ (3/251); „die weite, wilde Wasserwüste“ (12/258); „die unabsehbare eisbedeckte Fläche der Watten“ (14/261); „in der Öde [...], wo nur die Winde über den Deich wehten“ (15/261); „der unabsehbare Strand“ (ebd.); „auf der weiten Weidefläche“ (40/283); „von den schwarzen, schon fern liegenden Häusern“ (44/286); „Stille lag über der ungeheueren Ebene“ (51/292); „die weite Marsch wie eine unerkennbare, von unruhigen Schatten erfüllte Wüste“ (136/364).

Diese Momentaufnahmen erklären vielleicht jene Formulierung von den „Bildern der Einsamkeit“ (17/263), mit denen Hauke am liebsten verkehrte.
Die Landschaft prägt die Menschen, die in ihren verstreut am Deich gelegenen Katen und auf den Gehöften, errichtet auf weit aus der Ebene herausragenden Werften, mit wenig geselligem Umgang für sich leben. In einer solchen Landschaft ist der Blick auf Himmel und Wolken, auf Sonne, Mond und Sterne unverstellt. Die Winde wehen meistens heftiger als anderswo, die Wolken ziehen schneller, der Wechsel des Lichts ist markanter. Der Küstenmensch weiß, daß Mond und Sonne nicht nur Himmelskörper sind, sondern auch Ebbe und Flut bewirken. Stürme können die Flutwellen verstärken und Katastrophen ins Land bringen.
So sind auch die folgenden Bilder der Novelle nicht Kulisse, sondern Ausdruck eines wichtigen Teils im Leben der Marschbewohner: Das starke „Unwetter“, das der Fremde in der Rahmenerzählung beschreibt, ist gepaart mit einer „wüsten Dämmerung, die Himmel und Erde nicht unterscheiden ließ“, ist begleitet von einem „halben Mond“, der „meist von treibendem Wolkendunkel überzogen“ war (4/252). Durch die Fenster der Gaststube beobachtet man später, wie „der Sturm die Wolken“ treibt und „Licht und Dunkel“ durcheinanderjagen (17/263).
Auch in der Sturmflutnacht der Binnenerzählung steht „ein halber Mond am Himmel“, „dunkelbraune Wolken jagten überhin, und Schatten und trübes Licht flogen auf der Erde durcheinander“ (132/360). Als das Chaos zunimmt, „flog der letzte Wolkenmantel von dem Mond, und das milde Gestirn beleuchtete den Graus“ (142/369).
Ein voller Mond bescheint Jevershallig, als man den Schimmel zu sehen meint. Dort lag „das Pferdsgerippe mit seinem weißen, langen Schädel und ließ den Mond in seine leeren Augenhöhlen scheinen“ (80/316). Das ist nicht der liebliche, silberne Mond der Empfindsamkeit, auch nicht der goldene Mond der Romantik, sondern eher der bleiche, kalte Mond des Expressionismus. „[...] das bleiche

Himmelslicht war völlig ausgetan" (141/368), heißt es einmal in der Katastrophennacht.

Für den Küstenbewohner bedeutsam ist auch die Beobachtung von Windstärken und Windrichtung, um drohenden Gefahren rechtzeitig begegnen zu können: Da verspricht ein leiser „Nordost" beim Eisboseln gutes, aber kaltes Wetter (39/282), ein „Nordwest" ist es, der das neue Bett des Prieles „schärfer und tiefer" auswühlt und warnend Unheil ankündigt (128/357). Dann, am Tag der Katastrophe, ist es zunächst ein „Südwest", der dann auf „Nordwest" umspringt (134/362) und die verheerende Flut verursacht.

Auch andere Naturerscheinungen wirken meistens beunruhigend: Da ist der Strand mit seiner „vom Eise schimmernden Fläche der Watten; es war, als liege die ganze Welt in weißem Tod" (15/261). Da ist das „Geklatsch des Regens", durch das die Befehle des Deichgrafen klingen (105/337), da ist ein „Netz von Dampf und Nebel", das sich über das Watt spannt und den Betrachter spukhafte Gestalten erkennen läßt (15/261). Selbst die Sonne spendet bisweilen trügerischen Trost. Es ist das „vom Zenit herabschießende Sonnenlicht", das Hauke die gefährlichen Schäden am Deich geringachten läßt. Er wußte nicht, so der Erzähler, „wie uns die Natur mit ihrem Reiz betrügen kann" (127/356). In anderen Situationen erscheint die Sonne jedoch als Element der Hoffnung und Versöhnung. So steigt nach der konfliktreichen Zeit des Deichbaus „aus den weißen Morgennebeln [...] allmählich ein goldner Herbsttag und beleuchtete das neue Werk der Menschenhände" (109/341). Ähnlich ist es in der Rahmenerzählung, wo der Fremde „beim goldensten Sonnenlichte, das über einer weiten Verwüstung aufgegangen war" (146/372), über den Deich in die Stadt reitet. Diese Szene erlaubt auch die Deutung, daß sich die Natur gleichgültig zeigt gegenüber dem Chaos und der Verwüstung, die sie dem Menschen gebracht hat. Sie fährt fort in ihrem ständigen Wechsel von Sturm, Flut und Sonnenschein und überläßt den Menschen seinem Schicksal.

Die Jahreszeiten und das Dahinfließen der Jahre werden an dem ständigen Wechsel der Wetterverhältnisse, an dem Blühen und Verblühen der Pflanzen und am Verschwinden und der Wiederkehr der Zugvögel verdeutlicht. Einige Beispiele: „als endlich die Stachelbeeren [...] wieder blühten" (10/257); „flog sie mit den andern Möwen südwärts und kam erst wieder, wenn am Strand der Wermut duftete" (112/344); „die Zugvögel waren durchgezogen, die Luft wurde leer vom Gesang der Lerchen" (118 f./349).

Unter den wenigen Pflanzen, die in der Novelle erwähnt werden, hat nur die gewaltige Esche vor dem Deichgrafenhaus eine sinnbildliche Funktion. Weit sichtbar ist der höchste Baum des Dorfes mit seiner mächtigen Blätterkrone. Unter der Esche sprechen Hauke und Elke über ihre Zukunft. Allein sitzt Elke abends auf der Bank unter der Esche, nachdem Hauke Deichgraf geworden ist. Hauke hält unter der Esche, als er mit dem Schimmel nach Hause kommt. Auf einem der Äste des Baumes wird Wienke bisweilen von ihrem Vater geschaukelt. Am Tag der Katastrophe knarrt die Esche, „als ob sie auseinanderstürzen solle" (134/363). An den Stamm des Baumes gelehnt blickt Elke dem ins Dunkel davonreitenden Hauke nach. Sie sieht ihn zum letzten Mal.

In diesen Bildern spiegeln sich einerseits wichtige Stationen des Handlungsverlaufs, andererseits versinnbildlicht der Baum, der vom Urgroßvater Elkes gepflanzt wurde, die Vergänglichkeit des Menschen und der Menschengeschlechter im Gegensatz zur Beständigkeit der Natur. Die altnordische *Edda* erzählt vom Weltbaum Ygdrasil, einer riesigen Esche, die die Erde überschattet und auf deren Krone das Gewölbe des Himmels ruht. Hier soll das Heiligtum der Götter sein. Nach dem Edda-Mythos ist der erste Mensch aus der Esche und vermutlich der Ulme entstanden. (Vgl. Gertrud Höhler, Die Bäume des Lebens. Baumsymbole in den Kulturen der Menschheit. Stuttgart 1985, S. 25 f.)

In größerer Vielfalt als Pflanzen sind Tiere in die Handlung einbezogen. Zu nennen sind vor allem der Schimmel, der Angorakater und der kleine Hund. Ratten und Mäuse wühlen zerstörerisch in den Deichen. Rinder und Schafe tauchen nur am Rande auf. Verschiedene an der Küste beheimatete Stand- und Zugvögel begleiten den Handlungsverlauf, mitunter symbolträchtig (vgl. dazu Artiss 1968). Selten begegnen dem Leser Singvögel wie Lerche oder Stieglitz, was den dunklen Stimmungsgehalt der Novelle unterstreicht. Nur kurz erwähnt werden der Fischadler, der Kiebitz, Avosetten, Strandläufer, Gänse, Hühner und die Tauben des Pastors. Ein Hauke unbekannter Vogel, vermutlich ein Eisvogel, ist der Grund für den Tod des Katers und damit auch für Haukes Weggang aus dem Vaterhaus.

Oft genannt sind Krähen. Sie sind, ebenso wie der häufigste Küstenvogel, die Möwe, im deutschen Volksaberglauben fest verankert: die Krähe als dämonischer Unheilsbringer, die Möwe als Tiergestalt menschlicher Seelen. Krähen und Möwen erscheinen bisweilen gleichzeitig. Vor allem die Möwen begleiten die Handlung mit ihrem Gegacker und Geschrei, z. B. beim Eisboseln oder beim Deichbau. Sie schweben in „anmutigem Fluge“ (108/340), als der Deich fertiggestellt ist; sie schweben „ruhig hin und wider“ (127/356), als Hauke den beunruhigenden Schaden am alten Deich besichtigt. Am Ende dann scheint der Tod der Möwe Claus, verursacht durch Hauke, den Aberglauben zu bestätigen, daß Möwen nicht getötet werden dürfen, weil sich sonst die Seelen an dem Täter rächen und ihm Unglück bringen (vgl. Handwörterbuch des deutschen Aberglaubens, hg. von H. Bächtold-Stäubli, Bd.VI. Berlin, Leipzig 1934/35, Sp. 596).

4.6 Der „Schimmelreiter“ im politisch-gesellschaftlichen Kontext der Gründerzeit

Wie in den ersten Abschnitten dieser Arbeit gezeigt wurde, war Storm ein kritischer und politischer Dichter. Speziell die Novellen der achtziger Jahre problematisieren die gesellschaftlichen und sozialen Fragen des ausgehenden 19. Jahrhunderts. Das gilt auch für den *Schimmelreiter*, entstanden im Wilhelminischen Reich in der politischen Ära Bismarck. Storm wendet sich, wie viele Autoren seiner Zeit, in den geschichtlichen Raum zurück, um ihn als Medium zur Darstellung von Gegenwartsproblemen zu benutzen. Auf anderer Ebene lieferte Storms Freund,

Theodor Mommsen, ein ähnliches Beispiel, als er die Römische Geschichte beschrieb, um an ihr die Gefahren der Bismarckschen Politik zu verdeutlichen. Mommsen war nicht nur als Historiker, sondern auch als Politiker – als Mitglied des preußischen Abgeordnetenhauses und des Reichstages – ein scharfer Gegner des Reichskanzlers (s. o., S. 13).
Am 1. Mai 1885 schreibt Storm an Mommsen: „Sie als Historiker müssen auf das Ganze blicken; dem Dichter darf das Einzelne nicht entgehen". Welcher Zusammenhang besteht zwischen dem Einzelnen, d. h. dem kleinen Küstendorf, den Dorfbewohnern, Hauke Haien, dem neuen Koog, und dem Ganzen, nämlich dem Deutschen Reich, dem Volk, dem Reichskanzler Bismarck und den nach 1870 eingeleiteten Veränderungen in vielen Lebensbereichen? Ist Hauke Haien als eine Mythisierung Bismarcks zu sehen? Sind Hartnäckigkeit und Härte, mit denen Bismarck seine politischen Ziele verfolgte und die in der populären Bezeichnung vom „Eisernen Kanzler" mündeten, im Deichgrafen Hauke Haien wiederzuentdekken? Ist die Hybris der Bismarck-Ära, die aus den militärischen und politischen ‚Erfolgen' – gewonnener Krieg, Reichsgründung, Erwerb von Kolonien – resultierte, und die zur Überbewertung des Erreichten und zur vergröbernden Monumentalisierung auf vielen Gebieten führte, so in der Architektur, in Industrie und Wirtschaft, nicht auch bei Hauke und seinem Eindeichungsprojekt wiederzufinden? Sind Zusammenhänge mit der Spekulationssucht, dem Gewinnstreben, dem wirtschaftlichen Optimismus der Zeit oder mit dem Pessimismus in Wagnerschen Kompositionen zu sehen?
Die *Schimmelreiter*-Novelle legt solche Fragestellungen nahe, entsprechende Hinweise des Autors gibt es jedoch nicht.
„Hauke Haien – Kritik oder Ideal des gründerzeitlichen Übermenschen?" fragte Jost Hermand in einem 1965 erschienenen Aufsatz. Seine Überlegungen sind, oft unkritisch, in viele Untersuchungen zum *Schimmelreiter* eingeflossen. Hermands Frage läßt keinen Zweifel offen, daß in Hauke Haien etwas vom gründerzeitlichen Übermenschen-Typus steckt. Was diesen Typus aber genau charakterisiert, ist ziemlich frei definiert. Verlangt wird von ihm vor allem Genialität, die in seinen Ideen, in seinem Leistungswillen und -vermögen, in seiner Durchsetzungs- und Führungsfähigkeit zum Ausdruck kommt.
Person und Werk Hauke Haiens sieht Hermand einerseits, in einem heroisierenden Erklärungsversuch, an der Seite des Reichsgründers Bismarck und des Bayreuther Festspielhaus-Gründers Richard Wagner. Übertreibend formuliert Hermand, die Novelle sei „ein dramatisch zugespitztes Heldenlied von Kampf, Sieg und Opfertat" (1965, S. 40), und eine „Legende der Macht" (ebd., S. 43). Falsch ist es, Hauke undifferenziert als „Gewaltnatur" (ebd., S. 44) abzustempeln und ihm zu unterstellen, es ginge ihm von Beginn an „mehr um den Weg zur Macht als um das Herz des Mädchens" Elke (ebd.). Hermand liefert noch weitere derartige Beispiele, so daß Hauke zwangsläufig zur „cäsarischen Gewaltnatur" gerät, zum „Übermenschen" (S.40 f.), der „allein das Maßlose als ebenbürtig erachtet, jedoch an der Dummheit der ‚Vielzuvielen' und zugleich an seiner eigenen, ins Prometheische gesteigerten Natur zerbricht" (ebd., S. 46). Die pauschale grobe Diskri-

minierung der dörflichen Bevölkerung als „Menge oder Masse“ (ebd., S. 41), läßt das Monument Hauke Haien stärker hervortreten. Die bisherigen Überlegungen dieser Werkuntersuchung sollten diesen Interpretationsansatz widerlegt haben. Hermand sieht aber auch eine andere Erzählschicht, die eine „realistisch-analytische“ Erklärung Hauke Haiens und seines Werkes erfordere, wodurch das „in ihm verkörperte Heldenbild in ein eigenartiges Zwielicht“ (ebd., S. 47) gerate. Zutreffend weist er auf die realistischen Landschafts- und Menschenschilderungen hin, auf die magischen Elemente der Novelle, auf den Fleiß Haukes, dessen Organisationstalent und auf die mit Anstrengung erarbeiteten Berechnungen. Das wirke so alltäglich und widerspreche dem theatralisch Kulissenhaften, dem Abgehobenen, in dem sich der gründerzeitliche Übermensch mit seiner genialen Intuition bewege.

Hier nähert sich Hermand dem Menschen Hauke Haien, verfällt aber erneut in Mißdeutungen, wenn er beispielsweise behauptet, daß in der Ehe des Deichgrafen „Lieblosigkeit“ (ebd., S. 49) herrsche, oder daß Hauke und Elke „auf den Tod ihres Vaters lauern“ (ebd.). Auch stimmt nicht mit der Textwirklichkeit überein, wenn Hermand den unrichtigen Vorwurf des Ole Peters übernimmt und dazu schreibt: „Ebenso desillusionierend, jedenfalls im Hinblick auf sein Übermenschentum, ist das starke Gewinnverlangen, das Hauke Haien zur Arbeit treibt. [...] In diesem Punkt könnte man ihn mit den Aktienspekulanten und Bodenaufkäufern der siebziger Jahre vergleichen, deren Skrupellosigkeit zu den charakteristischen Zügen dieser Zeit gehört.“ (ebd.)

Die *Schimmelreiter*-Novelle enthält, will man den Ausdruck vom gründerzeitlichen Übermenschen benutzen, eine deutliche Kritik an diesem Typus. Nicht nur, daß Storm ein Kritiker Bismarcks und seiner Politik war und ihn nicht als leuchtende Symbolfigur verewigen wollte (vgl. Kap. 1.1). Der politisch anders eingestellte Fontane hat dieses wohl auch hellsichtig als Affront des 1848er Demokraten und Republikaners Storm verstanden, denn er sagt einmal herablassend über den Dichter des *Schimmelreiter*, er sei nicht in der Lage, „einen palatinischen Caesar von einem eiderstädtischen Deichgrafen“ zu unterscheiden (zit. nach Gustav Sichelschmidt, Theodor Fontane. München 1986, S. 88).

In der Hauke-Haien-Darstellung steckt auch keine Heldenverehrung, selbst wenn der Schulmeister Hauke als einen seine Zeit überragenden, aber verkannten Menschen darstellt, vergleichbar einem Sokrates oder Jesus (vgl. 144 f./371). Das geschaffene Werk, der Deich mit neuem Profil und der Landgewinn durch den neuen Koog, ist für sich gesehen ein positives Zeugnis technischen Fortschritts und menschlicher Leistung. Aber die Motive des Deichbauers, das gesellschaftliche Verhalten des Konstrukteurs und Organisators Hauke Haien, seine Ich-Bezogenheit und soziale Rücksichtslosigkeit, machen aus dem „potentiellen Wohltäter“ einen Feind menschlichen Zusammenlebens (vgl. Freund 1984, S. 72). Der Eigennutz, der die Tatkraft des gründerzeitlichen Menschen antreibt, ist damit ebenso der Kritik unterworfen wie das rücksichtslose kapitalistische Gewinnstreben.

Auch die Hybris des Deichgrafen, seine Einstellung, die anderen könnten nichts,

er aber könne alles, seine aus der Überheblichkeit geborene fehlerhafte Einschätzung der Naturkräfte, sein Versagen bei der Reparatur des alten Deiches, sind Kritik und Warnung.
(So stehen die Atomkraftwerke in Harrisburg und Tschernobyl für den technischen ‚Fortschritt', aber auch für Machtmißbrauch und Verantwortungslosigkeit, sie stehen für Gewinnstreben und für den Verlust der Fähigkeit, sich im Einklang mit der Natur zu bewegen, von der unser Leben und Überleben abhängt.)
Hinzu kommt die in der Novelle deutlich hervorgehobene Vereinsamung des Menschen durch Ehrgeiz und Leistungszwang, die Verödung sozialer Kontakte und die eingeschränkte Liebes- und Gefühlsfähigkeit. Auch wenn der Hauke-Haien-Deich noch nach hundert Jahren steht, wie Hauke in der Katastrophennacht stolz ausruft, so steht dem der Verlust von Frau und Kind gegenüber, die wenige Augenblicke später vor ihm in den Fluten umkommen: „von ihr zu ihm, von ihm zu ihr waren die Worte all verloren" (143/369).
In der Novelle findet sich nichts vom strahlenden Helden und von einem unkritischen Fortschrittsglauben. Im Gegenteil ist sie erfüllt von einem tiefen Pessimismus gegenüber der vom Materialismus geprägten neuen Zeit. Dennoch ist in der Novelle ein Stück Hoffnung enthalten, weil Haukes letzte Gedanken nicht seinem Deich gelten, sondern seinem Kind, seiner Frau, den Menschen des Dorfes.

4.7 Sprache und Stil

Wenige Untersuchungen zum *Schimmelreiter* beschäftigen sich mit Sprache und Stil der Novelle. Ausführlicher zu dieser Thematik äußerten sich nur Walter Silz (1955) und Volker Knüfermann (1967). Die folgende Skizzierung der Sprach- und Stilelemente geht über ihre Ergebnisse hinaus, kann sich aus Platzgründen aber auch nur mit den wichtigsten Merkmalen befassen.
Auf ein kleines, aber nicht unbedeutendes Detail der Stormschen Interpunktion weist Theodor W. Adorno hin:

„Der ernste Gedankenstrich: sein unübertroffener Meister in der deutschen Literatur des neunzehnten Jahrhunderts war Theodor Storm. Selten sind die Satzzeichen so tief dem Gehalt verschworen wie jene in seinen Novellen, stumme Linien in die Vergangenheit, Falten auf der Stirn der Texte. Die vortragende Stimme fällt mit ihnen in sorgenvolles Schweigen: die Zeit, die sie zwischen zwei Sätzen einsprengen, ist eine des lastenden Erbes und hat, kahl und nackt zwischen den angezogenen Ereignissen, etwas vom Unheil des Naturzusammenhangs und von der Scham, daran zu rühren. So diskret versteckt sich der Mythos im neunzehnten Jahrhundert; er sucht Unterschlupf in der Typographie."(Adorno, Noten zur Literatur I. Frankfurt/M. 1963, S. 165 f.)

Dazu einige Beispiele:

Der junge Hauke kommt sehr spät vom Deich zurück. Der Vater spricht mit ihm:

> Hauke sah ihn trotzig an. – „Hörst du mich nicht? Ich sag, du hättst versaufen können." (12/259)

Der Kleinknecht Hauke im Gespräch mit dem alten Deichgrafen:

„[...] bei schön Wetter liegt es immer voll von kleinen Kindern, die sich darin wälzen; aber – Gott bewahr uns vor Hochwasser!“ (33/276)

Elke erklärt Wienke, daß die Möwe Claus in der Scheune untergebracht ist:

„Warum?“ sagte Wienke, „ist das gut?“ – „Ja, das ist gut.“ (133/361)

Haukes Worte beim Tod der Trin' Jans:

„Was wollte die alte Hexe? Sind denn die Sterbenden Propheten – –?“ (130/358)

Schließlich noch Hauke Haiens Selbstgespräch in der Katastrophennacht:

„Was hatte er für Schuld vor Gottes Thron zu tragen? – Der Durchstich des neuen Deichs – vielleicht, sie hätten's fertiggebracht, wenn er sein Halt nicht gerufen hätte; aber – es war noch eins, und es schoß ihm heiß zu Herzen, er wußte es nur zu gut – im vorigen Sommer, hätte damals Ole Peters' böses Maul ihn nicht zurückgehalten – da lag's!“ (140/368)

Das Schweigen, welches sich im Gedankenstrich äußert, ist nicht untypisch für diese eher verschlossenen Menschen, die einsam in der Weite von Marschwiesen und Meer aufwachsen und leben. Überflüssiges und Nebensächliches fällt weg, was auch in den kurzen Sätzen und knappen Dialogen zum Ausdruck kommt.

Erstes Beispiel:

„Aber“, sagte Hauke wieder, „unsere Deiche sind nichts wert!“
– „Was für was, Junge?“
„Die Deiche, sag ich!“
– „Was sind die Deiche?“
„Sie taugen nichts, Vater!“ erwiderte Hauke. (12/259)

Zweites Beispiel:

„Was ist geworden?“ sagte sie; „hat er's gewagt?“
– "Was sollt' er nicht!“
„Nun, und?“
– „Ja, Elke; ich darf es morgen doch versuchen!“
„Gute Nacht, Hauke!“ (40/283)

Mit der Verknappung der Worte unterstreicht Storm seine Theorie, wonach die Novelle die strengste Form der Prosadichtung und mit dem Drama verschwistert sei. Gestik und Mimik als Ausdruck von Absichten und Gefühlen gewinnen dadurch, wie im Drama, an Bedeutung.

In einem anderen Zusammenhang wurde schon gezeigt, wie Hauke und Elke ihrer gegenseitigen Zuneigung und Solidarität durch Gestik Ausdruck zu geben versuchen (vgl. Kap. 4.1).

Weitere Beispiele finden sich in der Novelle:

Blicke: „ihre Augen sahen ihn mit seltsamem Funkeln an“ (20/266); „ihn mit ihren dunklen Augen flüchtig streifend“ (28/272); „mit etwas boshaften Augen“ (ebd.); „Noch ein paar Augenblicke suchten ihre Augen auf dem Boden; dann hob sie sie langsam, und ein Blick [...] traf in die seinen, der ihn wie Sommerluft durchströmte“ (48/290).

Andere Gesichtsregungen: „nickte ihn grimmig an“ (21/266); „ein wenig sich die Lippen beißend“ (31/274 f.); „Da schlug ihr eine heiße Lohe in das Angesicht“ (48/289).

Gesten: „entblößte seinen blutigen Arm" (23/268); „begann [...] wieder auf und ab zu gehen" (ebd.); „antwortete nicht darauf; er schob nur bedächtig seinen Tabaksknoten aus einer Backe hinter die andere" (24/269); „schleuderte mit dem Fuß einen Stein über den Weg" (39/282); „und ihre Brust hob sich in stärkerer Bewegung" (64/303).

Ein anderer Aspekt der Erzählkunst Storms ist die auffällige Verdichtung des Textes zur Kennzeichnung von Dynamik in der ‚dargestellten' Wirklichkeit (vgl. Knüfermann 1967, S. 84 – 96). Zwei Beispiele seien hier angeführt. Zum einen ist es eine Deichbauszene, in der die rastlose Aktivität des Deichgrafen und der Arbeiter durch entsprechende Wortwahl, Satzbau und den ständigen Wechsel der Perspektiven plastisch wird.

„Der Regen strömte, der Wind pfiff; aber seine hagere Gestalt auf dem feurigen Schimmel tauchte *bald hier, bald dort* aus den schwarzen Menschenmassen empor, die *oben* wie *unten* an der Nordseite des Deiches neben der Schlucht beschäftigt waren. Jetzt sah man ihn *unten* bei den Sturzkarren [...] ein ‚Halt!' scholl von seinem Munde, dann ruhte *unten* die Arbeit; ‚Stroh! ein Fuder Stroh *hinab*!' rief er denen *droben* zu, und von einem der *oben* haltenden Fuder stürzte es auf den nassen Klei *hinunter. Unten* sprangen Männer dazwischen und zerrten es auseinander und schrien nach *oben,* sie nur nicht zu begraben. Und wieder kamen neue Karren, und Hauke war schon wieder *oben* und sah von seinem Schimmel in die Schlucht *hinab* und wie sie dort schaufelten und stürzten; [...] Und durch alles Getöse des Wetters hörte man das Geräusch der Arbeiter: das Klatschen der *hinein*gestürzten Kleimassen, das Rasseln der Karren und das Rauschen des von *oben hinab*gelassenen Strohes ging unaufhaltsam vorwärts" (104 f./337 f.). (Hervorhebungen von G. W.)

Bewegung wird nicht nur durch den ständigen Orts- und Richtungswechsel ausgedrückt, auch in der Natur pfeift, strömt und tost es, der Schimmel ist feurig, man ruft, springt, zerrt, schreit, da ist ein Stürzen, Klatschen, Rasseln, Rauschen.
Im anderen Beispiel wird die innere Unruhe Haukes, werden seine Gewissensbisse durch ein entsprechendes syntaktisches Gefüge eines nur durch Kommata und Semikola gegliederten Endlossatzes, durch häufige Einschübe und durch mehrfachen Positionswechsel des grammatischen Subjekts verdeutlicht.

„Das Jahr ging weiter, aber je weiter es ging und je ungestörter die neugelegten Rasen durch die Strohdecke grünten, um so unruhiger ging oder ritt Hauke an dieser Stelle vorüber, er wandte die Augen ab, er ritt hart an der Binnenseite des Deiches, ein paarmal, wo er dort hätte vorüber müssen, ließ er sein schon gesatteltes Pferd wieder in den Stall zurückführen; dann wieder, wo er nichts dort zu tun hatte, wanderte er, um nur rasch und ungesehen von seiner Werfte fortzukommen, plötzlich und zu Fuß dahin; manchmal auch war er umgekehrt, er hatte es sich nicht zumuten können, die unheimliche Stelle aufs neue zu betrachten; und endlich, mit den Händen hätte er alles wieder aufreißen mögen, denn wie ein Gewissensbiß, der außer ihm Gestalt gewonnen hatte, lag dies Stück des Deiches ihm vor Augen." (128/357)

Im Unterschied zum vorherigen Beispiel steht hier der Mensch mit seiner Unruhe im Gegensatz zur Gleichförmigkeit, Beständigkeit und Ruhe der Natur.
Wichtig ist Knüfermanns Hinweis, daß einerseits das Verhältnis von erzählter Zeit und Erzählzeit bis zum Schluß der Novelle ziemlich konstant bleibt, daß aber andererseits „die Abstände zwischen den dynamisch akzentuierten Stellen immer

kleiner" werden, „bis schließlich die dichterische Wirklichkeit" – in der Sturmflutnacht – „durchgehend dynamisches Gepräge trägt" (Knüfermann 1967, S. 96). Auch in dieser Häufung der textlichen Verdichtung beweist die *Schimmelreiter*-Novelle ihr dramatisches Gepräge.

Typisch für diese wie auch andere Novellen Storms sind seine konjunktivischen „als"- und "als ob"-Wendungen: „es war, als liege die ganze Welt in weißem Tod" (15/261); „und beide doch, als ob sie allzeit Hand in Hand gingen" (50/291); „als ob sie zu dem Worte sich ermannen müsse" (51/292); „Es war, als ob plötzlich eine Stille eingetreten sei" (99/332); „es war, als sähe sie erschrocken in einen Abgrund" (122/352). Diese Wendungen treten gehäuft auf bei der Beobachtung des Pferdes auf Jevershallig: „war es, als hebe [...] und recke"; „War's nicht, als klatschte"; „Nun hob es den Kopf, als ob es stutze" (79/315 f.). Wohl besteht zwischen den Sätzen hinsichtlich des „als" und "als ob" ein qualitativer Unterschied, gemeinsam ist ihnen aber, daß der Erzähler, sofern er nicht selbst unsicher in seinem Wissen ist, bewußt dem Leser die Bewertung der Beobachtung überlassen möchte.

Spürbar ist in der gesamten Novelle die Kraft und das Können des Lyrikers Storm. Er schwelgt geradezu in Klangfiguren, Lautmalerei, Stabreimen und auch versartigen Satzkonstruktionen. Die *Schimmelreiter*-Novelle ist voller Musikalität.

Da ist die Anapher mit ihrer gefühlsverstärkenden Wirkung: „Bleib mir treu, Elke! Bleib mir treu!" (101/334); „Hatte sie ihn erkannt? Hatte die Sehnsucht, die Todesangst um ihn sie aus dem sicheren Haus getrieben?" (142 f./369); „Mein Weib! Mein Kind!" (137/365); „Den Schimmel! Den Schimmel, John!" (134/362)

Zahlreich sind auch formelhafte Wendungen im klanglichen Bereich wie: „Plag' und Arbeit" (123/353); „Pfleg' und Sorge" (122/352); „Stall und Scheuer" (129/358); „Hall und Schall" (135/363); „auf Tod und Leben" (71/309); „Müh' und Sorg'" (ebd.).

Die sinnlichen Eindrücke werden auf vielfältige Weise ausgemalt. Kaum einmal wird der Geruchssinn angesprochen. Anders ist es mit den optischen Eindrücken, besonders mit dem Lichtmotiv. Mond und Sonne sind es vor allem, deren Licht und Widerschein in unterschiedlichen Schattierungen und Farbvarianten beschrieben werden (vgl. auch die Beispiele in Kap. 4.5). Mit Vorliebe schildert Storm die Sonne in ihrer untergehenden Phase. So blickt Elke zum Meer hin, „wo [...] die Sonne eben in das Wasser hinabsank und zugleich das bräunliche Mädchen mit ihrem Schein vergoldete" (25/270). Die schwarzen Krähen „waren auf Augenblicke wie vergoldet, es wurde Abend" (44/286). Die nicht mehr hoch stehende „goldene Septembersonne glitzerte auf dem [...] breiten Schlickstreifen" (69/307). Manchmal ist die Sonne verborgen und statt ihrer „glimmte ein rotvioletter Schimmer" (44/286), ein anderes Mal schildert Storm ein „glühendes Abendrot" (38/281) oder das Abendrot ist erloschen und „der Koog von tiefer Dämmerung überwallt" (86/322). Von realistischer Schönheit ist ein anderes Bild: „Aus den gefrorenen Gräben [...] funkelte durch die scharfen Schilfspitzen der bleiche Schein der Nachmittagssonne" (41/283).

Das künstliche Licht in den Häusern der Menschen ist in der Novelle stets Symbol

für Geborgenheit und Sicherheit, auch Symbol des Lebens. So sieht der Reisende mit Freude die „Menge zerstreuter Lichtscheine" (6/253), die zu ihm aus dem Koog heraufschimmern. Fast versöhnlich klingt die Katastrophennacht aus, denn nicht nur vom verlassenen Deichgrafenhaus schimmert noch der „Lichtschein", auch vom Zufluchtsort der Koogbewohner, dem Geestdorf her, „wo die Häuser allmählich dunkel wurden, warf noch die einsame Leuchte aus dem Kirchturm ihre zitternden Lichtfunken über die schäumenden Wellen" (144/370).
Am stärksten variiert Storm mit den akustischen Signalen. Wasser und Wind dominieren in der dargestellten Wirklichkeit, ihre Geräusche sind auch die vorherrschenden Sinneseindrücke. Der Klang von Wind- und Wasserbewegungen wird lautmalerisch nachempfunden: Man hört den Nordwest an den Fensterläden „rappeln" (21/267) und den „Wind [...] poltern" (31/275); „der Wind pfiff" (104/338) und der Sturm hatte „getobt" (123/352); da ist das „Heulen des Sturmes" (134/363), das „Brüllen" (135/363) und „Tosen" (140/367); „es tönte und donnerte" (135/363). Und das Wasser macht sich bemerkbar durch „Klatschen" (11/258), „Brausen" (138/365), „dumpfes Tosen" (136/364) und ein „donnerartiges Rauschen" (141/368).
Ein von Storm häufig eingesetztes Mittel zur Verstärkung von Sinneseindrücken ist die Alliteration: „weite, wilde Wasserwüste" (12/258); „wo nur die Winde über den Deich wehten, wo nichts war ..." (15/261); „seine scharfen Augen schweiften" (ebd.); „wie Rauchwolken stieg es aus den Rissen" (ebd.); „dröhnte ihm in den Ohren; ‚da soll das Wetter dreinschlagen!'"(33/277); „ihre frevlen oder faulen Finger geklopft fühlten" (34/278); „ein Sporenstich; ein Schrei des Schimmels, der Sturm und Wellenbrausen überschrie" (143/370).
Oft findet man auch Assonanzen: „Und wieder ging [...] die Reihe übelwollender Gesichter vorüber, und noch höhnischer [...] hörte er das Gelächter" (67/306); „Er sah aus seinen grauen Augen voll Vertrauen auf sie hin" (53/294); „der Wurf wurde zu kurz" (42/284).
Viele Beispiele für Storms ‚Versinnlichung' könnten hinzugefügt werden, so seine Beschreibung der Trin' Jans: ‚greises Haar', ‚magerer Arm' (19/265), eine ‚von Gicht verkrümmte' (21/266) und ‚knöcherne' (114/345) Hand. Entsprechend realistisch sind auch die anderen Hauptpersonen geschildert.
Storms tönende Sprache ist häufig gepaart mit starker Rhythmisierung, die Prosa bekommt bisweilen Verscharakter. Einige Beispiele (Schrägstriche von G.W.):

- „ein Warmbier hatte sie für ihn bereit, / und Brot und Butter waren auch zur Stelle" (82/318);
- „jetzt aber und auch dann noch sind wir jung genug, / um uns der Früchte unserer Arbeit selbst zu freuen" (83/319);
- „dein Pate, Jewe Manners, ist ein guter Mann; / ich wollt', er wär' um dreißig Jahre jünger" (92/327);
- „Der Hauke-Haien-Deich, er soll schon halten; / er wird es noch nach hundert Jahren tun!" (141/368)

Vermutlich unbeabsichtigt ist Storm hier in den jambischen Rhythmus verfallen. Gleiches war ihm schon in seiner Novelle *Ein Fest auf Haderslevhuus* unterlaufen.

Damals machte ihn Paul Heyse darauf aufmerksam, der meinte, der Ton erhalte dadurch etwas Theatralisches, Gekünsteltes. Storm dankte Heyse für den Hinweis und schrieb, daß es ihn niederdrücke, „daß mir, dem alten Künstler, solche Schülerhaftigkeit passieren konnte" (Brief vom 25. Oktober 1885; Werke 4, S. 627).

Mag sein, daß Storm auch den *Schimmelreiter* noch einmal auf den Jambenfluß hin durchgesehen und korrigiert hätte, wäre es ihm gesundheitlich möglich gewesen. Der hohe ästhetische Rang seiner Altersnovelle bleibt davon unberührt.

5 Dokumente zur Rezeptionsgeschichte

5.1 Die zeitgenössische Rezeption

Noch vor seinem Tode erfuhr Storm, wie einige seiner Freunde die *Schimmelreiter*-Novelle beurteilten.

So schrieb Paul Heyse am 2. Mai 1888:

„Nur einen Glückwunsch, lieber Alter, zum Schimmelreiter. Ein gewaltiges Stück, das mich durch und durch geschüttelt, gerührt und erbaut hat. Wer machte Dir das nach!" (Werke 4, S. 661)

Erich Schmidt schickte Anfang Mai 1888 folgende Zeilen:

„Ich staune über die Wucht und Größe, die Sie als Siebziger für den ‚Schimmelreiter' aufbieten konnten, dessen Thema auf so furchtbare Weise zeitgemäß geworden ist. Alles Meer- und Strandhafte des Gegenstandes ist so sehr ersten Ranges, daß ich ihm nichts überzuordnen wüßte; und in der Seele des Mannes brandet's gleich leidenschaftlich. Wundervoll die Verbindung des Abergläubisch-Geheimnißvollen mit dem sachkundigen Realismus, der da weiß, wie man Deiche baut u. s. w. wie die Fluth frißt u. s. w." (Aus einem verlorengegangenen Brief Schmidts an Storm, aus dem Storm am 6. Mai 1888 in einem Schreiben an den Verleger Paetel zitiert. In: Storm – Schmidt Briefwechsel 2, S. 148 f.)

Überschwenglich lobte Schmidt die Novelle auch in einem Artikel zum Gedächtnis Storms. Darin spricht er von einer „hinreißenden Symphonie der Meeresstimmen" und ruft emphatisch aus: „Welche Gewalt in der See- und Deichnovelle, die er uns zuletzt hier beschert hat!" (Halbmonatshefte der Deutschen Rundschau, H. 1.2, 1888/89, S. 224)
Andere zeitgenössische Rezensenten priesen das Werk als eine der besten Novellen Storms. Entsprechend äußerte sich W.Brandes, der allerdings Kritik an der Rahmenkonstruktion und an den spukhaften Elementen der Novelle anmeldete.

„Das ist der rein menschliche Kern der Storm'schen Novelle: ein eigenartiges, mit markigen Contouren umrissenes, mit den feinsten Strichen ausgeführtes Seelengemälde auf düsterm Grunde, tragische Schuld und tragische Sühne, wie der Dichter es liebte. Aber so oft er auch die gleiche Kunst geübt hat, Charaktere, wie die des Deichgrafen und seines Weibes, sind ihm nicht viele gelungen: wie der Held um Haupteslänge seine Dorfgenossen, so überragt sein dichterisches Bild die Mehrzahl der Gestalten, die Storms Phantasie geschaffen hat – doppelt bewundernswerth, weil es ein todkranker Mann war, der dies Bild entwarf. [...]
Auch die Schilderungen von Land und Leuten, die einzelnen bald idyllischen, bald epischen Scenen, aus denen sich das Ganze zusammenbaut, halten den Vergleich mit jeder der frühern Dichtungen aus. [...]
Freichlich trägt wie zur Wirkung des Ganzen, [...] noch ein Element bei, das Storm als ein Erbtheil der Romantik im Blute lag, das er aber wol nirgends sonst in der Stärke hat hervortreten lassen, wie gerade in diesem Buche: ich meine das Element des Dämonischen außer uns, des Spukhaften. [...]
Man kann von vornherein zweifelhaft sein über den Werth dieser romantischen Zuthat: rei-

ner und geschlossener wirkte die Novelle ohne das immerhin äußerliche Hereinragen einer dunklen Welt; denn Hauke's Thaten und Schicksale wurzeln, wenn wir von dem etwas dürftig motivirten Entschlusse Elke's, in die Sturmflut hineinzufahren, absehen, einzig und allein in den Stärken und Schwächen seines Charakters; der Spuk übt darauf keinen Einfluß. Andererseits aber läßt sich nicht verkennen, daß die Stimmung unvergleichlich dadurch gewinnt; diese Züge bald eines groben Aberglaubens, bald einer phantastischen Durchgeistigung der Natur stimmen zu dem landschaftlichen Hintergrunde, der sturmgepeitschten Meeresküste, wie zu dem Menschenschlage, der sie bewohnt, und stehen zugleich in einem seltsam berückenden Gegensatze zu der fast nüchternen Schärfe und Klarheit der beiden Menschengestalten, die der Dichter in den Vordergrund unsers Interesses gerückt hat. Der vorurtheilslose Hauke rettet das Hündchen, das die Arbeiter zur Festigung seines Dammes lebendig eingraben wollen, und ist dabei auf Schritt und Tritt von Spuk umgeben, ja, wird im Glauben des Volks selbst zum Spuk.
Wie weit der Dichter diesen seltsamen Dingen Wirklichkeit einräumen will, steht dahin: er erzählt seine Geschichte aus dritter Hand. [...] Hier liegt die einzige empfindliche Schwäche des Buchs: das Bedenkliche der doppelten Verkapselung möchte hingehen, wenn die eigenthümlichen Formen der individuell gefärbten mündlichen Mittheilung gewahrt wären [...]; allein bei Storm erinnern nur ab und an vermittelnde Zwischenbemerkungen des Erzählers und des Zuhörers daran, daß wir es mit mündlicher Ueberlieferung zu thun haben; die ganze Darstellung aber mit ihren psychologischen Lichtern, ihren Schilderungen des Nebensächlichen, ihren Reden und Wechselreden ist so wenig mundgerecht, so durchaus literarisches Kunstwerk, daß wir dabei die Einkleidung ganz vergessen und jene gelegentlichen Erinnerungen nur als störende Unterbrechungen empfinden. Storm hat das zweifelsohne selbst gefühlt; er legt die Erzählung dem Dorfschullehrer in den Mund und läßt denselben obenein früher Theologie studirt haben; allein auch das langt nicht zu, die Kluft zu überbrücken.
Doch genug und übergenug einer Ausstellung, die nur Äußerliches, nicht den Kern trifft. Ihr zum Trotze ist Storm's letztes Werk eine Dichtung, die nicht blos unter den seinigen einen ehrenvollen Platz einnimmt, groß gedacht und in einer Fülle lebensvoller Einzelheiten von ebenso viel frischer Unmittelbarkeit des Schauens und Empfindens, wie von reifem Kunstverstande zeugend, der würdige Abschluß einer langen Reihe erzählender Dichtungen, von denen leider nur eine Minderzahl die Verbreitung gefunden, die allen zu wünschen wäre."
(Wilhelm Brandes, Von Storm und Raabe. In: Blätter für literarische Unterhaltung 2/1888, Nr. 51, S. 806 f.)

Mit uneingeschränktem Lob würdigte Moritz Necker in seiner 1889 erschienenen Besprechung die Novelle.

„Storms ‚Schimmelreiter', der die Reihe seiner unvergänglichen Novellen als das bedeutendste Werk abschließt, ist eine nach jeder Richtung hin bewunderungswürdige Schöpfung. Sie ist zu bewundern von der technischen Seite wegen der kunstvollen Form, und sie ist es nicht weniger des Gehaltes wegen. Mit sparsamen Mitteln, geizend mit dem Worte, hat Storm auf engem Raume die reiche Lebensgeschichte eines hochstrebenden und kraftvollen Mannes dargestellt. Wir begleiten den Helden von der Jugend bis zu seinem tragischen Ende, und ist auch der Ort der Handlung nur ein Dorf, und ist auch nur ein einziges Mal ein Wink für die Zeit gegeben, in welche die Vorgänge fallen, so ist doch der Gesichtskreis des Dichters nichts weniger als beschränkt, ein symbolisches Abbild des ganzen Lebens der Menschen untereinander hat er selbst in diesem bescheidenen Menschenkreise geliefert.[...] Man könnte diesen tüchtigen Realisten [Hauke Haien], der sein ganzes Dasein der Idee gewidmet hat, dem Meere neues Land zum Schutze und zum Nutzen der Heimat abzugewinnen, mit dem alten

Faust vergleichen, wenn ihn nicht die einzige Leidenschaft, die ihn beseelt, von dem Goethischen Idealmenschen trennte, nämlich der Ehrgeiz. Faust ist weder eitel, noch ehrgeizig, Faust sucht wirklich in reinstem Drange nach Wahrheit und Seligkeit; Storms Held ist die verkörperte Leidenschaft des Ehrgeizes. [...] Diesen Charakter leidenschaftlichen Ehrgeizes und der auf ein einziges bestimmtes Ziel gerichteten Thatkraft hat Storm mit ebensoviel Liebe als Genie gestaltet. Die Tiefen und die Höhen der Menschennatur hat der Dichter dabei durchmessen; die Pathologie einer-, und die Religion anderseits einer solchen starken Individualität hat er bedacht, zuweilen nur mit einem einzigen Zuge gezeichnet, und die künstlerische Anschauung, die sich dabei offenbart, ist gleich weit vom romantischen Idealismus wie vom rohen Naturalismus, sie ist wahr und poetisch in jeder Zeile, denn sie will gar nichts andres als einen Menschen in möglichster Lebendigkeit darstellen. [...]
Und nun, nachdem Hauke sein Lebensziel nach so vieler Arbeit erreicht hat, nimmt sein Schicksal eine überraschende Wendung. Wie überhaupt Storm in diesem seinem Meisterwerke seine ganze künstlerische Individualität schärfer als je ausgeprägt, niemals klarer die Mischung von Romantik und Realismus geboten hat, so hat er auch seinen hinter der ‚Resignationspoesie' stehenden Pessimismus niemals erschütternder ausgesprochen, als in dieser Geschichte des Kampfes eines Genies gegen die Trägheit der Menschen und die Ungunst der Natur. Es ist nicht alles in philosophische Formeln zu fassen, was Storm in den Formen der bildenden Künstler hier ausgesprochen hat. Darum ist auch der ‚Schimmelreiter' ein so einziges Werk der Poesie. – [...]
Storm hätte diese Geschichte ganz wohl, nach der gangbaren Einteilung, als einen Roman bezeichnen können; denn er hat im ‚Schimmelreiter' seinen Helden mitten aus einem bestimmten Zustande seines Volkes heraus und dieses mit dargestellt; er hat ferner auch ein Schicksal von der Wiege bis zum Grabe verfolgt, nicht bloß nach Art der Novelle einen Lebensabschnitt herausgegriffen. Aber die Technik der Novelle hat Storm auch hier beibehalten. Er ist sehr sparsam mit seinen Figuren, und welche Wirkung er, nach Art H. v. Kleists, mit Einzelheiten, Dingen und Menschen hervorruft, die immer wieder durch die lange Reihe der Jahre in eine symbolische Beziehung zur Hauptsache treten, ist gar nicht zu sagen. [...]
Man darf sagen, [...] daß der ‚Schimmelreiter' zu den Juwelen unsrer Nationallitteratur gerechnet werden wird. Ich kann nicht umhin, mich darüber zu verwundern, daß dies bisher so wenig von der Kritik erkannt worden ist." (Moritz Necker, Posthuma. In: Die Grenzboten. Zeitschrift für Politik, Literatur und Kunst 48/1889, H. 1, S. 82-88.)

Während sich die zeitgenössischen Kritiker weitgehend jeglicher Ideologisierung Storms und des *Schimmelreiters* enthielten, setzte um die Jahrhundertwende die Vereinnahmung des Werkes und des Autors durch die national-konservativen Kreise des deutschen Bürgertums ein. Storm genoß bald eine Popularität, wie er sie zu Lebzeiten nicht gekannt hatte, als Erzähler wie Auerbach, Gutzkow, Freytag, und ein Lyriker wie Geibel eher den Publikumsgeschmack trafen.

5.2 Von der Jahrhundertwende bis zum Ende des Zweiten Weltkrieges

1911 lag die 20. Auflage des *Schimmelreiters* vor. Bis 1922 waren von der Originalausgabe 38 000 Exemplare gedruckt. Im Verhältnis zum Erfolg von *Immensee* war diese Zahl nicht überwältigend. Nachdem aber etwa 1918 die Schutzfrist für den Schimmelreiter abgelaufen war, stiegen auch die Auflagenziffern.

Bedenklich waren die Umstände, unter denen seit der Jahrhundertwende Storms Werk eine neue, große Lesergemeinde zugeführt wurde. Da stand das Wort Fontanes im Raum, der in seinen Erinnerungen (1894/96) Storm einer „das richtige Maß überschreitenden, lokalpatriotischen Husumerei" bezichtigte, die sich „durch seine ganze Produktion" hinziehe (Fontane 1968, S. 879). Damit beschuldigte er Storm eines bornierten Provinzialismus und trug dazu bei, daß dessen Werk in den Sog der anti-naturalistischen Heimatkunstbewegung geriet, die das Storm-Bild nachhaltig beeinflußte und verfälschte.

Bereits 1899 schreibt Clara Lent, Storms Eigenart wurzele „tief in norddeutscher Stammesart" und der Held Hauke Haien sei „wie aus Erz gegossen". Er sei ein „Mann, ganz brennende Tatkraft, ganz Gemeinsinn, ganz geschaffen für den Kampf; kraftvoll bis zur Härte" (Lent 1899, S. 458 ff.). Noch befand man sich in der Wilhelminischen Ära, aber der Ton für die weitere Rezeption Storms bis zum Ende des Zweiten Weltkrieges war angestimmt.

Exemplarisch sind mehrere Beiträge in Friedrich Düsels Storm-Gedenkbuch zu dessen 100. Geburtstag. Ganz offen gesteht Düsel in seinem Vorwort, daß Storm in diesen Kriegsjahren als ideologische Stütze gebraucht werde, denn in ihm seien „Heimatliebe und Heimattreue" verwurzelt, und er sei geprägt von einer „deutsch-nationalen Gesinnung" und von „tapferer, aufrechter Mannhaftigkeit" (Düsel 1916, S. 7). Immer wieder ist die Rede vom „typischen deutschen Heimatkünstler", wie in Georg J. Plotkes Aufsatz (ebd., S. 75), worin Storm auch unterstellt wird, daß er mit Begeisterung freiwillig in den Ersten Weltkrieg gezogen wäre, um mit seinem Blut für die „deutsche Heimat das Schlachtfeld zu tränken – für die Ernten der Zukunft" (ebd., S. 100).

Nach der Niederlage von 1918 riefen deutsche Germanistik-Professoren dazu auf, den deutschen Geist vor gleicher Schmach zu bewahren. Die Dichtung mit ihren Schöpfer- und Heldengestalten sollte Kraft geben, aus dem „materialistischen Chaos", so Julius Petersen, herauszukommen. Storm und der *Schimmelreiter* entgingen nicht dem Zugriff deutschtümelnder Heimat- und Rasseideologen.

„Die Kenntnis von den körperlichen Merkmalen einer Rasse ist freilich die Grundlage für jede Rassenforschung, aber darüber hinaus gilt es, die seelischen Eigenschaften zu erforschen, die einer Rasse eigentümlich sind. Ihre reinste Darstellung nun findet die Seele des Menschen in seinem Kunstwerk [...] . Darum ist dort, wo unsere eigene Kraft nicht ausreicht, der Künstler der Meister und Gestalter auch unseres Wissens von diesen letzten Dingen. Eine solche Erfahrung berechtigt den Versuch, in Theodor Storms ‚Schimmelreiter' den nordischen Menschen zu erkennen. Denn um einen nordischen Menschen handelt es sich offensichtlich bei Hauke Haien. [...]

Schon der Knabe ist ein einsamer geworden. Damit ist die Erzählung [...] bereits bestimmt, tragisch zu enden. Aber nicht bloß Hauke Haien, sondern mit ihm der nordische Mensch, den er in Zielsachlichkeit und Einsamkeit darstellt, ist bestimmt, ein tragischer Mensch zu werden. Die Hartnäckigkeit im Verfolg seines Zieles, die Rücksichtslosigkeit seiner Kraftentfaltung macht den Menschen notwendig zu einem Einsamen.[...]

Diese Tragik, die durch Hauke Haien geht, der Gegensatz zwischen dem Recht des Handelnden, Schaffenden, des Führers und dem Recht der Gesellschaft, der Masse, die zu führen ist, um derentwillen dem Führer Führereigenschaften gegeben sind, für die der Schöpfer seine Schöpfung geschaffen hat, diese Tragik des Schimmelreiters wird [...] zu einer zweiten Tragik." (Eilhard Erich Pauls, Die Tragik des Schimmelreiters. In: Volk und Rasse, H. 2, 1927, S. 126-130.)

Entsprechend fährt Pauls in seiner ideologisch verbrämten, nebulösen Sprache fort. Am Schluß bekräftigt er noch einmal mit Bestimmtheit, daß das „Leben des Schimmelreiters [...] das Leben des nordischen Rassemenschen" sei.
Als nordischer Repräsentant der Blut-und-Boden-Dichtung, der das „ewige Erbe von Herkunft und Heimat" in sich trug, als einer, „der aus tausend Gefühlen und Stimmungen heimatverbundenen Volkstumes heraus ein gewissenhaft-erfüllter Chronist von Leben und Liebe, Schicksal und Tod und von der Unerbittlichkeit allen Daseins war" (Thüringer Gauzeitung, 3. Juli 1938), wurde Storm ein Jahrzehnt später von der nationalsozialistischen Kulturpolitik herausgestellt, die mit fünf Verfilmungen von Storm-Novellen ihr propagandistisches Interesse an dem Husumer Autor unterstrich.
Wie schon Börries von Münchhausen 1927 in der Sprache der Nationalsozialisten formulierte, so erkannte man in der *Schimmelreiter*-Novelle „unwiderlegliche Kennzeichen gewachsener Kunst, [...] Löwenspuren, [...] Stutbrände der echten Geniezucht!" (in: Volk und Rasse, H. 2, 1927, S. 131) Hauke Haien geriet zum heroischen nordischen Helden und zum Modell eines Führers.
Stimmen, die sich von der Storm-Rezeption der Heimatkunstbewegung und der völkisch-nationalen und nationalsozialistischen Literaturkritik abhoben, gab es wohl, sie fanden aber in der breiten Öffentlichkeit kein Gehör. Hierzu gehört Georg Lukács' Storm-Essay von 1911, in dem er den Lyriker und Novellisten ausführlich würdigt.
1930 veröffentlichte auch Thomas Mann in der Zeitschrift „Daheim" einen Storm-Aufsatz. Geradezu hymnisch preist er darin den Husumer als einen seiner wichtigsten erzählerischen Anreger. (Die *Immensee*-Anklänge in *Tonio Kröger* oder die monumentale Stormsche Verfallsstimmung in den *Buddenbrooks* sind Belege dafür.) Ausgehend von Turgenjews Roman *Väter und Söhne* bemerkt Mann über Storm und den *Schimmelreiter*:

Von seiner Hand konnte kein europäisches Meisterwerk von der Art des Gesellschaftsromans ‚Väter und Söhne' kommen, worin der geistig-politische Typus des Nihilisten geprägt wurde und das, präzis, virtuos und durchsichtig, von Vollendung umflossen, in einem weiteren und helleren Raume steht als des Holsteiners ernste und spröde, in Nebelfeuchte gehüllte und gegen das Abergläubisch-Mystische nachgiebige Dichtung, der nordheidnische Spuk des ‚Schimmelreiters'. Aber wiederum: es ist hier, eben im ‚Schimmelreiter', den Storm als Siebzigjähriger, als ein von der Todeskrankheit schon Überschatteter schrieb, zum Schlusse etwas erreicht an Urgewalt der Verbindung von Menschentragik und wildem Naturgeheimnis, etwas Dunkles und Schweres an Meeresgröße und -mystik, das Turgenjew bei aller feinsten Naturempfindlichkeit auch nur anzustreben sich nicht hätte getrauen dürfen." (Th. Mann 1960, S. 248)
Mann sieht in dem *Schimmelreiter* das „Höchste und Kühnste", woran sich Storm je gewagt habe (ebd., S. 266). Damit führte „ er die Novelle, wie er sie verstand, als epische Schwester

des Dramas, auf einen seither nicht wieder erreichten Gipfel [...] . Ich wollte das zum Schlusse erzählen. Das Meisterwerk, mit dem er sein Künstlerleben krönte, ist ein Produkt barmherziger Illusionierung. Die Fähigkeit, sich illusionieren zu lassen, kam ihm aus dem Vollendungs- und Lebenswillen des außerordentlichen Kunstwerks." (ebd., S. 267)

Weder der Marxist Georg Lukács noch der 1933 emigrierte Thomas Mann bestimmten im nationalsozialistischen Deutschland die Storm-Rezeption, sondern mit dem NS-Regime sympathisierende Feuilletonisten und Verfasser pseudowissenschaftlicher, vom Zeitgeist geprägter Darstellungen, wie Wolfgang Kayser und Franz Stuckert.
Sowohl in Kaysers Abhandlung zur Novellendichtung Storms (1938) als auch in Stuckerts Storm-Monographie (1940) herrscht der bekannte rassistische und völkisch-nationale Ton. Bezüglich des *Schimmelreiters* wird einmal die „mythenbildende Natur der Nordsachsen" (Kayser 1938, S. 63), einmal der ‚Kampfwillen' und die „Schöpferkraft des nordischen Menschen" (Stuckert 1940, S. 99) hervorgehoben. Und beide sprechen sie von der Wirksamkeit der ‚Kräfte des Blutes' und von der ‚Blutsgemeinschaft von Führer und Volk'.
Nach einem halben Jahrhundert politisch-ideologischen Mißbrauchs war nach dem Ende der faschistischen Ära die Zeit reif für eine Neuentdeckung von Autor und Werk.

5.3 Zur Rezeption nach 1945

Nur langsam kamen nach dem Ende des Zweiten Weltkrieges neue Perspektiven in der Storm- und *Schimmelreiter*-Betrachtung zum Tragen. In der Bundesrepublik hatte man große Mühe, die alten ideologischen Fesseln abzulegen. Deutlich wird dies bei Franz Koch, der noch 1956 denkt und schreibt wie mehr als ein Jahrzehnt zuvor. Er kenne „keinen heimatgebundeneren Dichter als Storm", der eingebettet sei „in den Wachstumsorganismus von Sippe und Landschaft" (Koch 1956 , S. 272).
Koch über den *Schimmelreiter*:

„Man macht gern Storms letztes Werk [...] auch zu seinem besten. Aber trotz unleugbarer Vorzüge im einzelnen – ein stellenweises Nachlassen der dichterischen Kräfte ist nicht zu verkennen. Schon die doppelte Rahmung und Verschlüsselung ergibt Schwierigkeiten, deren Storm nicht völlig Herr geworden ist. [...]
Davon abgesehen bleibt ‚Der Schimmelreiter' [...] eine Gipfelleistung Storms, insofern hier das, was seine eigentliche Stärke ausmacht, sein Heimatgefühl, seine Verbundenheit mit der Landschaft und dem Menschentum des Nordens, die überzeugendste Gestalt gewonnen hat. [...]
In der Geschichte von Hauke Haiens Aufstieg zum Deichgrafen und dem Bau des neuen Deiches, der ihn als dieser Stelle würdig erweist, gewinnt das Wesen des nordischen Menschen jene Gestalt, in der es dem Allgemeinbewußtsein gewärtig ist: zähe Willenskraft und Zielsicherheit, Verhaltenheit im Ausdruck trotz eines tiefen Lebensgefühls, Trotz und Kraft des Hasses." (ebd., S. 308)

Von Franz Stuckert erschien 1955 eine umfassende Storm-Monographie, die sich zwar wohltuend von seinen früheren Arbeiten unterschied, die aber zu einem Neuverständnis Storms wenig beitrug. Mit einem irrationalen Schicksalsbegriff versucht er beispielsweise die Tragik im *Schimmelreiter* zu erklären:

„Hauke Haien besteht nicht nur das Schicksal, das ohne sein Zutun auf ihn ‚zukommt', sondern er fordert es heraus, ja, er gestaltet es selber, indem er – im Doppelsinne dieses Wortes – überall ‚angreift'. Sein Kampf ist dabei dreifacher Art."(Stuckert 1955, S. 400)

Zum einen, so Stuckert, ist es der Kampf gegen die „Gewalt des Draußen, der Natur", zum zweiten ist es der Kampf zwischen „dem Individuum und der Gemeinschaft, dem großen Menschen und dem Durchschnitt".

„Aber Hauke steht noch in einem dritten Kampf, den er nicht als Angreifender, sondern als Tragender und Duldender bestehen muß, dem Kampf mit dem, was ihm als Schicksal verhängt ist. Dieses Schicksal tritt ihm als manchmal unbegreifliche Fügung entgegen, als Krankheit Elkes, als Schwachsinn Wienkes, als eigene Krankheit, die seinen Willen schwächt. Aus diesem Bereich kommt der entscheidende Schlag gegen ihn, der ihn vernichtend trifft. Nicht die Gewalt von Sturm und Meer, nicht der Widerstand der Menschen zerbricht ihn, sondern der Tod von Frau und Kind. Es ist das Verhängnis, das aus dem Dunkel nach ihm greift und ihm den Hort seines Friedens nimmt. Und erst an dieser Fügung wird ihm deutlich, daß Gott nicht seine Tat will – den Wiederaufbau des zerstörten Deiches und der überfluteten Weiden, die Neuordnung seines gestörten Verhältnisses zur Gemeinschaft –, sondern daß Gott sein Opfer fordert." (ebd. S. 401)

Während die westdeutsche *Schimmelreiter*-Forschung bis Anfang 1960 kaum neue Perspektiven aufzeigte, bereiteten amerikanische Literaturwissenschaftler, unter ihnen Walter Silz, auch englische Forscher und die DDR-Autoren Fritz Böttger und Peter Goldammer derweil den Boden für eine neue Storm-Betrachtung.
Goldammer und Böttger lieferten die ersten Deutungsversuche der Novelle in einem geschichtlichen Zusammenhang. In der Einleitung zu seiner vierbändigen Storm-Werkausgabe (1. Aufl. 1956) schreibt Goldammer:

„Man hat in der ‚Schimmelreiter'-Novelle oft bloß das tragische Scheitern des Menschen im vergeblichen Kampf gegen die Gewalt der Natur dargestellt und versinnbildlicht finden wollen. Dabei übersah man, wie genau auch hier Storm menschliche Konflikte gestaltet und ihre gesellschaftlichen Ursachen sichtbar gemacht hat. Sehen die reichen Hofbesitzer wie Ole Peters, Haukes alter Widersacher, in dem Deichgrafen zuerst vor allem den Rivalen und später den lästigen Mahner, so steht die arme Bevölkerung, die nichts zu gewinnen noch zu verlieren hat und die zudem in Unwissenheit und Aberglauben befangen ist, Haukes Plänen nicht bloß interesselos, sondern auch mißtrauisch gegenüber. Der Deichgraf Hauke Haien scheitert nicht an der Gewalt der Natur [...] , sondern an seiner Vereinsamung. Sein tragischer Untergang ist durch den Widerstand derer bedingt, die seine Verbündeten bei dem gewaltigen Deichbau hätten sein müssen, unter den obwaltenden Verhältnissen aber nicht sein konnten. Es ist der Ausdruck einer tieftragischen Ironie, daß der Mann, der den dumpfen Aberglauben als einen Feind des freien Denkens und Handelns bekämpft, noch zu seinen Lebzeiten selbst zum Furcht- und Schreckensbild dieses Aberglaubens wird." (Goldammer, in: Werke 1, S. 97 f.)

Aus konsequent marxistischer Sicht betrachtet Böttger den *Schimmelreiter*. Seine Deutung wird heute, im Gegensatz zu Goldammers Position, als zu eng und zu sehr ideologisch fixiert angesehen, worauf auch schon sein DDR-Kollege Goldammer bei Erscheinen des Buches hingewiesen hatte (vgl.dessen Rezension in: Neue Deutsche Literatur, H. 8, 1959, S. 143 – 146). Böttger schreibt u. a.:

„In dem Helden der Erzählung, Hauke Haien [...] , verkörpert sich die Aufklärung in Gestalt seiner naturwissenschaftlich-technischen Erfahrungen. Die streng rationellen Denk- und Arbeitsgewohnheiten vermitteln ihm ein ganz anderes Weltbild, als es seine Dorfgenossen besitzen, und treiben ihn auch zu jener Veränderung und Neugestaltung des Deichbaues, die ihm die Feindschaft der in patriarchalischer Bequemlichkeit und Unbeweglichkeit befangenen Deichgenossenschaft zuzieht. Der Gegensatz ist ein typischer der Zeit. An ihm enthüllt sich, daß die wissenschaftliche Aufklärung im 18. Jahrhundert keine das ganze Volk umfassende Bewegung darstellte, sondern bloß die mehr oder minder zufällige Errungenschaft vereinzelter Persönlichkeiten. [...] Auf dem Gegensatz von rationalistischer Einstellung zur Arbeit und traditionalistischem Schlendrian, zu dem auch das Beharren im Aberglauben gehört, ruht der Konflikt der Novelle. [...]
Freilich fallen auch Schicksal und Charakter des Deichgrafen ins Gewicht. [...]
Aus dem Gegensatz von leitender Intelligenz und blinder, von der Notwendigkeit der Arbeit nicht überzeugter Masse entsteht auch die Katastrophe, der Bruch des alten Deiches, wobei Hauke Haien Frau und Kind durch die hereinbrechenden Fluten verliert. [...]
In Wirklichkeit ist Hauke Haien ein Mensch des 18. Jahrhunderts, in dem Storm etwas von seiner eigenen Problematik gespiegelt hat; er verkörpert in dieser Hinsicht die Vereinsamung der Intelligenz innerhalb der deutschen Misere im allgemeinen, der achtundvierziger Intelligenz innerhalb des Bismarckreiches im besonderen. Sein Schicksal zeigt, daß eine Loslösung vom Volk am Ende zum Untergang führt. Darin sehen wir aber weniger eine persönliche Schuld als den Widerspruch einer Gesellschaftsordnung, die an der Bildung der bäuerlichen Menschen nicht das geringste Interesse hatte, die es nicht fertigbrachte, die innere Teilnahme an einem großen Gemeinschaftswerk zu wecken, und die die Intelligenz in eine volksfremde Isolierung trieb." (Böttger 1958, S. 354 ff.)

Seit 1960 erschienen im In- und Ausland zahlreiche Aufsätze, Dissertationen und populärwissenschaftliche Arbeiten, die sich mit der *Schimmelreiter*-Novelle als Ganzem oder mit ausgewählten Aspekten derselben befassen. Darunter findet man erstaunlicherweise immer wieder solche Beiträge, die geprägt sind von verschwommenen geistesgeschichtlichen Erklärungsversuchen und existenzphilosophischem Schwulst. Das gilt für Werner Kohlschmidt, der von einer „Gewissensnovelle" spricht und Hauke Haien als „Außerbürgerlichen" und „Märtyrer seines lebenslang verfolgten Baus" charakterisiert (Kohlschmidt 1975, S. 457 f.), sowie für Annemarie Burchard (1961), die die Novelle vom Mythischen her betrachtet. Völlig in die nichtssagende Irrationalität entzieht sich Fritz Martini:

„Hauke Haien gewinnt aus Landschaft und Volkstum, denen Storm hier die dichteste Eigenwirklichkeit gegeben hat, als sozialer Emporkömmling und seelischer Aristokrat, als geradezu vermessener Individualist des Willens und der Tat eine umfassendere Typik. Sie weitet sich in das Mythische, je mehr sich sein Leben der Verwobenheit von Schuld, Schicksal und Tod entgegenbewegt, unter das Gesetz des Verhängnishaften gerät. Dies prägt sich aus, wo in seiner Katastrophe der Zufall, die Folgen seiner Taten und das Schicksal mit schwebenden Konturen ineinander übergehen." (Martini 1974, S. 662)

Beiträge wie diese sind jedoch nicht mehr kennzeichnend für die aktuelle *Schimmelreiter*-Rezeption.
Dank der intensiven Grundlagenforschung Karl Ernst Laages und Reimer Kay Holanders, dank auch verschiedener Neueditionen von Storms Briefwechsel und der Realismusforschung der vergangenen Jahre wurde der Literaturwissenschaft Material in die Hand gegeben, mit dem sich neue Perspektiven eröffnen ließen.
Neben erzähltechnischen und stilistischen Fragen – vgl. z. B. die Arbeiten von Knüfermann (1967), Artiss (1968), Kuchenbuch (1969), Ellis (1969), Köhnke (1978), Heine (1982) – rückte vor allem, in der Nachfolge Goldammers, der sozialkritische und politische Aspekt der Novelle in den Vordergrund.
Zu den wenigen Literaturwissenschaftlern, die nicht nur Storms *Schimmelreiter*, sondern seiner gesamten Novellistik kritisch gegenüberstehen, gehört Claude David:

„Aus Storms bürgerlicher Gesinnung ist kein Lobgesang auf die bürgerlichen Tugenden entstanden, vielmehr ein Zerrbild des bürgerlichen Lebens, über dessen Grenzen er nicht hinauszuschauen vermochte, in welchem er keinen Frieden fand, dessen Schwächen er sich aber nicht einzugestehen wagte.
Der liberal gesinnte Storm schrieb gegen Hexenwahn und Aberglauben; er zeigte in seiner letzten, lange Zeit am meisten bewunderten Erzählung, *Der Schimmelreiter*, wie neidischer Kleingeist, engstirniger Unverstand über Vernunft und Genie schließlich den Sieg davontragen. Storms Rationalismus ist nicht Stifters Vernunftgläubigkeit, in die sich noch eine heitere Weltfrömmigkeit retten kann. Vom Jenseits erhofft er nichts mehr; aber auch auf Erden findet er keine gültige Ordnung: ‚Wenn wir uns recht besinnen, so lebt doch die Menschenkreatur, jede für sich, in fürchterlicher Einsamkeit, ein verlorener Punkt in dem unermessenen und unverstandenen Raum.‘
Aus dieser fast nihilistischen Schau hätte ein mächtiges Werk entstehen können. [...] Das Dämonische, das den liberalen Optimismus Lügen straft, bildet in fast allen Novellen die treibende Kraft. [...] Meistens wird der Konflikt bis zum tragischen Ende durchgefochten. Und er wird von Besessenen ausgetragen, die sich mit verbissener Wut ihrer Leidenschaft überlassen, bis sie sich selbst und alle um sich herum vernichtet haben. [...]
Trotz dieser Prämissen hält Storms Novellistik ihre Versprechungen nicht. Ja, sie ist unter den bedeutenden Werken des 19. Jahrhunderts eines derjenigen, welches die Probe der Zeit am schlechtesten bestanden hat. Die literarische Form, in die Storm einen keineswegs unbedeutenden Gehalt kleidete, ist diesem Gehalt nicht angemessen. [...] Die beiden parallelen Tendenzen der Zeit, der sogenannte ‚poetische Realismus‘ und der Historismus, bezeichnen die Grenzen von Storms Kunst. An die Stelle der ‚natürlichen Wahrheit‘ soll die ‚poetische‘ treten; aus diesem Grund muß in die kräftige Lebensgeschichte des Hauke Haien die keineswegs nötige, aber ‚poetische‘ Sage des gespenstischen Schimmelreiters eingeführt werden. Sie wird von Storm so verwendet, daß sie nicht bloß als törichter Aberglauben erscheint, sondern auch die dämonische Macht des hochmütigen Deichgrafen symbolisiert. Dadurch fällt auf diese Figur ein verdächtiges Licht, der Widerstand des Volkes erscheint zum Teil gerechtfertigt. Die Erzählperspektive gerät damit ins Schwanken; der Sinn der Erzählung wird nicht etwa bereichert, sondern undeutlich gemacht. Aus der fingierten ‚Objektivität‘ entsteht ein unechtes und willkürliches Geheimnis, das die Bedeutung des Ganzen beeinträchtigt.“ (David 1966, S. 169 ff.)

Jost Hermand erzielte mit seinem 1965 erschienenen *Schimmelreiter*-Aufsatz nachhaltige Wirkung, weil er als erster Hauke Haien als eine exemplarische Figur der Gründerzeit herauszustellen versuchte. Mit einigen Ausführungen Hermands habe ich mich bereits im Kap. 4.6 auseinandergesetzt, daher hier nur ein kurzer Auszug:

„Mit vornehmer Andeutung und doch heroischer Geste wird hier alles auf den großen Einzelnen, den mythischen Übermenschen zugeschnitten, indem Storm um die dramatische Binnenhandlung einen kunstvoll aufgeführten Rahmen legt, der selbst das Dämonische in eine objektivierte Ferne rückt. Statt menschlicher Nähe und psychologischer Wahrscheinlichkeit herrscht eindeutig das Gesetz der Distanz, das dem Leser eine merkliche Schranke entgegensetzt. Das gilt vor allem für Hauke Haien, den Helden dieses Werkes. Auch er soll nicht von nah betrachtet werden, sondern aus respektvoller Entfernung, durch Rahmen und Historie ins Monumentale gesteigert, so daß sich das kleinteilig Verworrene zu scharfgeschnittenen Konturen klärt. Nichts ist da, was von seiner Gestalt ablenken könnte. Ohne große Umschweife wird der Leser sofort auf ihn hingewiesen: den magischen Reiter, den Unergründlichen, den Gründer, dessen einziges Ziel es ist, einen Koog zu bauen, der seinen Namen trägt, und damit in die Ewigkeit einzugehen. Was wäre ‚gründerzeitlicher' als ein solches Thema?" (Hermand 1965, S. 42 f.)
„ [...] das Phänomen, daß die Leistung, der Hauke-Haien-Koog, nicht vom Meer hinweggespült wird, sondern noch hundert Jahre später reiche Ernten spendet, deutet auf eine geheime Anerkennung des Geschaffenen hin. Politisch gesehen läßt sich das mit der Tatsache vergleichen, daß noch in den achtziger Jahren viele die preußisch-bismarcksche Reichsgründung energisch ablehnten und doch den relativen Fortschritt, der in der Einheit Deutschlands steckte, anerkennen mußten.
Ob sich Storm dessen so bewußt war, als er den *Schimmelreiter* schrieb, mag dahingestellt bleiben. Entscheidend ist unter einer solchen Perspektive nicht das subjektiv Gewollte, sondern der objektive Widerschein der geistigen Situation. Daß sich bei dieser Haltung ein seltsames Nebeneinander von gründerzeitlicher Verewigung des Genialen und bürgerlich-realistischer Anerkennung der Moral ergibt, ist für fast alle älteren Autoren dieser Ära bezeichnend, die sich nicht vom Strom der Zeit einfach mitreißen ließen. Doch während es bei [C. F.] Meyer und [Paul] Heyse meist bei einem unverbundenen Nebeneinander von Besinnung und Machttrieb bleibt, setzt bei Storm eine auffällige Funktionalisierung dieser beiden Schichten ein, die sich wie Ideal und Kritik zueinander verhalten. Daher zieht sich durch die ganze Novelle ein untergründiges Zwiegespräch, das immer wieder in eine offene Frage mündet, nämlich die Frage nach der moralischen Bewertung des Übermenschen, auf die Storm nicht eine, sondern viele Antworten gibt." (ebd., S. 50)

Zum Abschluß seien noch drei jüngere Beispiele der *Schimmelreiter*-Betrachtung von H. Vinçon (1979), H.-W. Peter (1982) und W. Freund (1984) (s. auch die Auseinandersetzung mit Freund in den vorangegangenen Kapiteln) angeführt, in denen, unterschiedlich akzentuiert, der politische Gehalt der Novelle hervorgehoben wird.

„Mit Sicherheit kann behauptet werden, daß die Interpretation des ‚Schimmelreiters' als einer tragischen Schicksalsnovelle dessen aufklärerischer Tendenz entschieden widerspricht. Was den Deichgrafen als Patron mit dem Bourgeois verbindet, ist sein Erwerbssinn und sein Besitz. Die Frage nach dem Recht auf Eigentum oder nach der gemeinsamen Nutzung des gesellschaftlich Erworbenen wird letztlich nicht gestellt. Der Deichgraf geht nicht an seiner aufklärerischen Autorität zugrunde, hinter welcher – ins Zeitgeschichtliche übersetzt – der kapitalistische Privateigentümer steht, sondern an deren Unvereinbarkeit mit Gewalt. Der Aufklärer als Bürger scheitert nicht an seiner Einsamkeit, sondern am bürgerlichen Zusammenhang von Aufklärung und Macht." (Vinçon 1979, S. 311)

„Storm ging es sicher [...] nicht darum, im Schimmelreiter dem damals üblichen gründerzeitlichen Geniekult zu huldigen. Dazu scheint uns Haukes Fähigkeit zu wenig schöpferisch. [...] Storm stattet ihn denn auch an keiner Stelle mit genialen Attributen aus. [...]
Was Storm vielmehr vorgeführt hat, ist die Verknüpfung von egozentrischer Unmenschlichkeit, von Machtmißbrauch und fundamentalem Versagen gegenüber seinen individuellen, familiären und sozialen Verpflichtungen. Was Storm kritisiert, ist nicht so sehr die Dorfgesellschaft, sondern den in Hauke Haien verkörperten Typus des ehrgeizigen, nur auf seinen eigenen Vorteil bedachten Emporkömmlings." (Peter 1982, S. 124)

„Angesichts der in der wilhelminischen Gesellschaft keimenden Ideologie vom Übermenschen warnt Storm vor den katastrophalen Einflüssen sozial unkontrollierter Führerfiguren, vor der hemmungslosen Selbstinszenierung ebenso wie vor der Kritiklosigkeit und dem unaufgeklärten Verhalten der Masse, die das innovative Individuum dämonisiert, anstatt es zu kontrollieren. [...]
Der Entfesselung des Chaos durch menschliche Selbstherrlichkeit und Selbstüberschätzung ist das in die Rolle von Befehlsempfängern wohl eingeübte deutsche Volk in dem Jahrhundert, auf dessen Schwelle Storms Novelle steht, gleich zweimal zum Opfer gefallen. Feudale und bürgerliche Drahtzieher, die nicht einmal über einen Bruchteil der innovativen Kräfte des fiktiven Deichgrafen verfügten, stürzten die ihnen Anvertrauten und ihnen wohl oder übel Vertrauenden ins Verderben. Der in der wilhelminischen Ära wurzelnde Mythos vom Übermenschen verführte die Masse groteskerweise selbst dann noch, wenn ihren selbsternannten Führern nichts Verführerisches mehr anhaftete. Sowohl das Herrschaft beanspruchende isolierte Genie als auch der nicht überführte Scharlatan in der Führerrolle richten unübersehbaren Schaden an.
Wenn Storm am Ende das Meer vernichtend hereinbrechen läßt, so ist das ein Hinweis auf die verheerenden Folgen eines sozial unkontrollierten Führertums und zugleich auf die zwingende Notwendigkeit konstruktiver Interaktion als oberster Bedingung für den gesellschaftlichen Fortschritt." (Freund 1984, S. 97 f.)

Nicht nur ein gestiegenes wissenschaftliches Interesse, sondern auch ein unverändert großes Leseinteresse eines breiten Publikums in aller Welt – Übersetzungen in zahlreichen Sprachen liegen vor – kennzeichnen die gegenwärtige Aufnahme des *Schimmelreiters*, welcher, laut Umfrage, die bekannteste und meistgelesene deutschsprachige Novelle im deutschen Sprachraum sein soll.
Großen Anteil an der Verbreitung des Storm-Werkes hat die sehr aktive Theodor-Storm-Gesellschaft in Husum mit ihren Publikationen und Tagungen. Förderlich für das Verständnis Storms, hier insbesondere des *Schimmelreiters*, ist auch das populär geschriebene Buch von Paul Barz, *Der wahre Schimmelreiter*, das 1982 erschien und seit 1985 auch als Taschenbuch vorliegt. Einen möglichen Grund für die Tatsache, daß dem Werk Storms auch und gerade heute immer neue Leser zugeführt werden, sieht der Sekretär der Theodor-Storm-Gesellschaft, K. E. Laage, darin, daß in Storms Lyrik und Novellistik die Themen von Vergänglich-

keit, Tod und Einsamkeit einen breiten Raum einnehmen. Ihre dichterische Gestaltung spricht offenbar den in der Industriegesellschaft vereinsamten Menschen besonders an (vgl. Laage 1983, S. 91).
Die Fülle von Storm-Berichten im Fernsehen, in der Tagespresse und in Wochenzeitschriften, scheint Laages Annahme zu bestätigen. Man muß auf der Hut sein, daß der Autor nicht wieder zum rührseligen, unpolitischen Heimatdichter verkommt. Alarmzeichen gibt es. In einem Bericht der Illustrierten „Stern“ (Nr. 20 vom 9. Mai 1985) fragt der Verfasser Peter Sandmeyer: „Storm-Renaissance – oder die Fortdauer eines Mißverständnisses, das ihn als poetische Heimat-Feinkost konsumiert?“ Und an anderer Stelle heißt es in dem Artikel: „Der Schriftsteller, [...] der sich schreibend in die Freiheit der stürmischen See und in die Weite der Küstenlandschaft träumte, wird heute, knapp hunder Jahre nach seinem Tod, als Fluchthelfer in Natur und Innerlichkeit wiederentdeckt.“

5.4 Filmgeschichte des Werkes

Neben Bearbeitungen der *Schimmelreiter*-Novelle als Puppenspiel, Radiofantasie und Bühnenstück existieren bislang drei Verfilmungen von Storms Altersnovelle, die hier vorgestellt werden.
Der erste *Schimmelreiter*-Film entstand bezeichnenderweise im Jahre 1933, dem Jahr der Machtübernahme Adolf Hitlers. Die Vereinnahmung der Novelle durch die völkisch-nationale Ideologie war schon längst erfolgt, nun machte man sich das einflußreiche neue Medium Film zunutze, um die NS-Ideologie mit Hilfe literarischer Meisterwerke scheinbar unverfänglich unter die Massen zu bringen. Das von Joseph Goebbels geleitete Reichsministerium für Volksaufklärung und Propaganda war von dem Film so angetan, daß es ihm das Prädikat „künstlerisch und besonders wertvoll“ verlieh.
Über den mit Marianne Hoppe als Elke und Mathias Wiemann als Hauke von Curt Oertel und Hans Deppe gedrehten *Schimmelreiter*-Film urteilte das Familienblatt DAHEIM, Jg. 70, Nr. 20 vom 15. Februar 1934, S. 1 – 3, unter der Überschrift „Ein Gespenst, eine Novelle und ein Film“:

„Der Film vom ‚Schimmelreiter‘ [...] ist eine bildhafte Neuschöpfung. Die Gespräche sind aufs äußerste beschränkt, ja die stummen Szenen wirken am eindringlichsten. Wenn aber gesprochen wird, so geschieht es mit denselben Worten, die einst Storm für diese Geschehnisse gefunden hat. [...] ‚Der Schimmelreiter‘ wurde eine Bilddichtung vom Blut und Boden an der Wasserkante. Die friesische Landschaft und ihre starken, wortkargen Menschen erstehen vor uns mit unvergeßlicher Deutlichkeit. Die Spielhandlung folgt in großen Zügen der Novelle. [...]
Dieser Film ist sehr zeitgemäß. ‚Blut und Boden‘ heißt sein Inhalt, der Führergedanke lebt darin, die Frage der Landgewinnung klingt an, das hohe Lied vom todesmutigen Opfer des einzelnen für das Gemeinwohl bildet den heldischen Ausklang.“

Auf die eindeutigen ideologisch-propagandistischen Absichten des Films weist auch Paul Barz hin:

„Tatsächlich durchwabert faustdicke Blut-und-Boden-Mystik seine Szenerie, und nicht nur aus Gründen filmischer Dramaturgie muß sich der Storm-Stoff einige robuste Eingriffe und Umdeutungen gefallen lassen. Vor allem das Ende Hauke Haiens ist nun nicht mehr die Verzweiflungstat eines einsamen einzelnen, sondern ein Opfer für die anderen, für die Koog- (sprich: Volks-) Gemeinschaft. Der Part der geistesschwachen Wienke ist gestrichen worden [...]. Und wenigstens einmal weht der Wind dem Hauptdarsteller eine Strähne ins Gesicht, als stünde Adolf Hitler vor den Menschen in der Marsch." (Barz 1985, S. 208)

Positiv wird auch heute noch die formale Qualität des Films bewertet. Realistische Detailtreue war eines der Ziele, und das bedeutete, daß alles (Schauplätze, Ausstattung) echt sein mußte. Barz sieht in dem Film einen Vorläufer des Neorealismus im italienischen Nachkriegsfilm (ebd.). Die Nachteile dieses Verfahrens:

„Die bewußt angestrebte frische Realistik drängt jedoch die hintersinnig-unheimlichen Momente der Erzählung zurück. Der Schwerpunkt der Handlung ist von dem mythologischen Motiv des gespenstischen Reiters auf das nüchterne Faktum der Landgewinnung, den Kampf Hauke Haiens um den Deich verlegt. Dadurch büßt die eigenartige Durchdringung von Spuk und Wirklichkeit bei Storm im Film an Wirkungskraft ein." (Boll 1976, S. 65)

Unter der Regie von Alfred Weidenmann und mit dem Amerikaner John Philipp Law in der Hauptrolle wurde der Stoff knapp 45 Jahre später erneut verfilmt. 1978 war Kinopremiere in Husum, 1981 erfolgte die erste Fernsehausstrahlung. Die Reaktion der Presse auf den Film war in ihrer Einhelligkeit nicht zu mißdeuten: „Der Deichgraf aus dem Kostümverleih" (Frankfurter Neue Presse), „Nur Storm-Verschnitt" (Westdeutsche Allgemeine), „Außer Deichgraf Gert Fröbe nichts gewesen" (Die Welt), „Von Storm kaum ein Hauch" (Süddeutsche Zeitung), „Verunglückte Verfilmung" (Frankfurter Allgemeine Zeitung). Stellvertretend für die Tendenz der Kritik mag der Beitrag in der „Süddeutschen Zeitung" stehen:

„Von einer souveränen Kinoadaption des Stoffs ist diese Neuverfilmung ohnehin um Welten entfernt, doch auch als simple Nacherzählung tut sie kaum ihren Dienst. Von der Atmosphäre, die Storm in seinem Spätwerk beschwört, von der nordischen Nebeldüsternis, die wie eine triebhafte Kraft das Geschehen bestimmt, ist im Kino nichts zu spüren. Es ist schon eine herbe Enttäuschung, wenn man mitansehen muß, wie Weidenmann, einer der prominentesten Regisseure der 50er Jahre [...], hier bei Storm eben das schuldig bleibt, womit die Erzählung dem Film entgegenkommt, all das, was Thomas Mann als ‚Urgewalt der Verbindung von Menschentragik und wildem Naturgeheimnis', als ‚etwas Dunkles und Schweres an Meeresgröße und -mystik' beschrieben hat.
Weidenmann und seine Techniker bemühen sich zwar um meteorologische Effekte, doch Atmosphäre oder gar etwas wie Unheimlichkeit stellt sich nie ein. Die Wogen des Meeres, die Tod und Zerstörung bringen sollen, kommen zahm herangekrochen. Nie eine Totale, die etwas von der Weite und Tiefe der Landschaft vermitteln würde. Der Regen, der bei offenem Himmel in dünnen Strähnen vor die Kamera gespritzt wird, während die Darsteller dahinter im Trockenen agieren, wirkt lächerlich künstlich. Der Sturm findet nur akustisch statt: im frisch gebürsteten Haar des Helden rührt sich kaum ein Hauch. Fremd und unglaubwürdig wie Gäste aus dem Weltraum stehen die adrett eingekleideten Darsteller in der bäuerlichen Szenerie herum. Keinem einzigen glaubt man, daß er je eine Mistgabel in der Hand gehabt hat. Ein paar eintrainierte düstere Blicke, die in die Kamera gehoben werden, und die aufdringliche Stimmungsmusik von Altroutinier Hans-Martin Majewski müssen notdürftig

ersetzen, was in der Szene sonst nicht produziert wird. So bleiben ein paar darstellerische Einzelleistungen übrig: die Elke der Schwedin Anita Ekström, oder der alte Deichgraf von Gert Fröbe. Was aber im Ganzen verschenkt wurde, das läßt am besten Lina Carstens ahnen, die als Seherin Trin Jans im Alleingang eine ganze Welt mobilisiert: jene unheimliche Welt des Schimmelreiters, die sonst bei diesem Film nur im Titel zitiert wird." (Gottfried Knapp, Von Storm kaum ein Hauch. In: Süddeutsche Zeitung vom 20./21. Mai 1978)

Eine dritte filmische Gestaltung des *Schimmelreiters* von 1984 stammt von dem DDR-Regisseur Klaus Gendries. Obwohl von der ARD angekündigt, ist der Fernsehfilm noch nicht vor einem breiten Publikum in der Bundesrepublik gezeigt worden. Nach einer geschlossenen Vorführung in Husum schrieb die „Norddeutsche Rundschau" am 9. September 1985 von einer „durchweg positiven Aufnahme" des Films. Es handelt sich um eine Gemeinschaftsproduktion des DDR- und des polnischen Fernsehens. Gedreht wurde der Film an der Weichsel und in der DDR (Stralsund) mit deutschen und polnischen Schauspielern.
In einem Kommentar des „Neuen Deutschland" heißt es:

„Die [. . .] Neuverfilmung von Klaus Gendries sucht den realistischen Kern der außerordentlichen Begebenheit in Szene zu setzen und dabei möglichst nahe an der Stormschen Vorlage zu bleiben.
Szenarist Gerhard Rentzsch arbeitete vor allem das Charakterporträt eines klugen, tätigen, von einer Aufgabe besessenen jungen Mannes heraus, der im Kampf mit der Natur, im Konflikt mit der dumpfen Unwissenheit der Dorfleute, die am Althergebrachten festhalten, etwas Bleibendes schafft. Sehr genau wurde das soziale Milieu gezeichnet, und damit traten die Voraussetzungen zutage, die Hauke Haien schließlich zum Gegenstand abergläubischer Spekulationen werden ließen. Regisseur und Szenarist gaben zudem Elke [. . .] ein psychologisch interessantes Profil. Sie ist es, die zielstrebig und unbeirrbar, mit geduldiger Energie die Erfüllung ihrer Liebe erreicht, die Hauke – unmerklich fast – führt. Anders als bei Storm kauft sie die Ringe, die das heimliche Verlöbnis besiegeln.
Der Film hält sich an den klassischen Novellenrahmen, läßt aber die Erzählung des Schulmeisters erst beim Eintritt Hauke Haiens als Kleinknecht beim Deichgrafen einsetzen. [. . .]
Trefflich setzten Szenenbildner [. . .] die Atmosphäre der Stormschen Novelle ins Bild. Der Glanz altmeisterlicher Malerei lag über den schwelgerischen Interieurs, die karge Landschaft offenbarte poetischen Zauber, in dem auch Bedrohlichkeit und Gefährdung mitschwangen. Allerdings lief das bildhafte Erzähltempo streckenweise gegen die dramatische Steigerung der Novellenstruktur: Während anfangs eilige Schnitte die Handlung vorantrieben, dominierten gegen Ende eher beschauliche – optisch allerdings durchaus reizvolle – Kamerafahrten.
Was der Film an Wirklichkeitsbezug gewann, brachte zugleich das Risiko, daß eben das Gespenstisch-Spukhafte, das zur Stormschen Vorlage gehört, durch nüchterne Erklärung als konstituierendes Element der Handlung herausfällt, zum Beiwerk wird. Dieser Gefahr sind Regisseur und Szenarist wohl nicht entgangen. So wirkte der Sprung des Schimmelreiters in die Fluten zwischen dem gebrochenen Deich fast nur als Akt der Verzweiflung, während er doch auch letzte Tat für das Überdauern seines Werkes ist.
Eine neue Deutung eines Stückes Weltliteratur – anregend, sehenswert und nicht zuletzt auch dank Jürgen Eckes dramatisch akzentuierender Musik sicherlich ein nachwirkendes Erlebnis." (Klaus-Dieter Schönewerk, Legendenumwobene Begebenheit in schönen, realistischen Bildern. In: Neues Deutschland vom 27. Dezember 1984)

6 Literaturverzeichnis

Die nachstehend aufgeführten Arbeiten zum Thema Storm/Schimmelreiter stellen nur eine Auswahl aus der Fülle der vorhandenen Materialien dar. Wer nach weiteren Titeln sucht, sollte sich der jährlich aktualisierten Storm-Bibliographie in den Schriften der Theodor-Storm-Gesellschaft (im folgenden abgekürzt: STSG) bedienen oder sich ans Storm-Archiv in 2250 Husum, Wasserreihe 31, wenden. Den Mitarbeitern des Archivs möchte ich bei dieser Gelegenheit für bereitwillige Hilfe danken.

1. Der „Schimmelreiter"-Text in Einzel- und Werkausgaben

Die „Schimmelreiter"-Handschrift befindet sich in der Landesbibliothek Kiel.

Eine neue vierbändige Werkausgabe, hg. v. *Dieter Lohmeier* und *Karl Ernst Laage*, ist in Vorbereitung und soll bis 1989 im Klassiker-Verlag (Insel/Suhrkamp) erscheinen.

Der Schimmelreiter. In: Deutsche Rundschau 55/1888, S. 1 – 34, S. 161 – 203 (Erstdruck).

Der Schimmelreiter. Berlin: Verlag von Gebrüder Paetel 1888 (Erste Buchausgabe).

Sämtliche Schriften [Unter dem Titel: Gesammelte Schriften]. 19 Bde. Braunschweig: Westermann 1889. (Der Schimmelreiter: Bd. 19) (Erste Gesamtausgabe).

Sämtliche Werke in 8 Bänden. Hg. v. *Albert Köster*. Leipzig: Insel 1919 ff. (Der Schimmelreiter: Bd. 7).

Sämtliche Werke in zwei Bänden. Nach dem Text der ersten Gesamtausgabe von 1868/89. Hg. v. *Karl Pörnbacher*. München: Winkler 1951, 6. Aufl. 1977.

Sämtliche Werke in vier Bänden. Hg. v. *Peter Goldammer*. Berlin, Weimar: Aufbau-Verlag 1956, 5. Aufl. 1982. (Der Schimmelreiter: Bd. 4). (Zitiert wird nach der 5. Aufl. als „Werke").

Gesammelte Werke. 6 Bde. Hg. v. *Hans A. Neunzig*. München: Nymphenburger 1981. (Der Schimmelreiter: Bd. 6).

Gesammelte Werke in sechs Bänden. Hg. v. *Gottfried Honnefelder*. Frankfurt/M.: Insel 1983 (= insel Tb 731 – 736). (Der Schimmelreiter: Bd. 6).

Der Schimmelreiter. Mit einem Nachwort v. *Wolfgang Heybey*. Stuttgart: Reclam 1983 (= RUB 6015). (Alle Zitate nach dieser Ausgabe sowie nach Goldammers Werkausgabe).

Der Schimmelreiter und andere Novellen. Hg. v. *Hartmut Vinçon*. München 1979 (= Goldmann Klassiker 7551).

Der Schimmelreiter. Hg. v. *Harro Müller*. Paderborn: Schöningh 1980.

Der Schimmelreiter. Sylter Novelle. Text, Entstehungsgeschichte, Quellen, Schauplätze, Abbildungen. Hg. v. *Karl Ernst Laage*. Heide/Westholstein: Verlagsanstalt Boyens & Co. 2., erweiterte u. verb. Aufl. 1983, 3. Aufl. 1987.

2. Storm-Briefe (benutzte Ausgaben)

Theodor Storm: Briefe an seine Kinder. Hg. v. *Gertrud Storm*. Braunschweig 1916.

Der Briefwechsel zwischen *Paul Heyse* und *Theodor Storm*. Hg. v. *Georg J. Plotke*. 2 Bde. München 1917 – 1918.

Neue Storm-Briefe. Hg. v. *Wilhelm-Ernst Tornette*. In: Die Bücherschale 1927, H. 3, S. 3 – 18.
Theodor Storms Briefwechsel mit *Theodor Mommsen*. Hg. v. *Hans-Erich Teitge*. Weimar 1966.
Der Briefwechsel zwischen *Theodor Storm* und *Gottfried Keller*. Hg. v. *Peter Goldammer*. Berlin, Weimar [2]1967.
Theodor Storm – Paul Heyse. Briefwechsel. Kritische Ausgabe. Hg. v. *Clifford A. Bernd*. Bde. 1 – 3. Berlin 1969 – 1974.
Theodor Storm. Briefe. Hg. v. *Peter Goldammer*. Bde. 1 – 2. Berlin, Weimar 1972. (Zitiert als „Briefe“). (Nach dieser Ausgabe wird, wenn nichts anderes angegeben, zitiert).
Theodor Storm – Erich Schmidt. Briefwechsel. Kritische Ausgabe. Hg. v. *Karl Ernst Laage*. Bde. 1 – 2. Berlin 1972 – 1976.
Theodor Storm – Theodor Fontane. Briefwechsel. Kritische Ausgabe. Hg. v. *Jacob Steiner*. Berlin 1981.
Theodor Storm – Wilhelm Petersen. Briefwechsel. Kritische Ausgabe. Hg. v. *Brian Coghlan*. Berlin 1984.

3. Bibliographien

Teitge, Hans-Erich: Theodor Storm Bibliographie. Berlin 1967.
Meyer, *Kurt:* Storm-Bibliographie. Neuerscheinungen 1967 – 1973. In: STSG 23/1974, S. 72 – 81.
Meyer, Kurt: Storm-Bibliographie. Nachträge zu den Jahren 1967 – 1973 und Neuerscheinungen. In: STSG 24/1975, S. 105 – 108.
Draheim, Margarete: Storm-Bibliographie. Nachträge und Neuerscheinungen 1974 – 1985. In: STSG 25 – 35/1976 – 1986.

4. Zur Forschungssituation

Carnaby, Rachel M.: Recent Trends in Theodor Storm Research. In: German Life & Letters 35/1982, S. 150 – 164.
Vinçon, Hartmut: Theodor Storm. Stuttgart 1973 (= Sammlung Metzler 122).

5. Gesamtdarstellungen und Sammelbände zu Storms Leben und Werk

Böttger, Fritz: Theodor Storm in seiner Zeit. Berlin/DDR 1958.
Düsel, Friedrich (Hg.): Theodor Storm. Gedenkbuch zu Storms hundertstem Geburtstage 14. September 1917. Braunschweig 1916.
Goldammer, Peter: Theodor Storm. Eine Einführung in Leben und Werk. Leipzig [3]1980 (= RUB [Leipzig] 400).
Laage, Karl Ernst: Theodor Storm. Leben und Werk. Husum [3]1983.
Laage, Karl Ernst: Theodor Storm. Studien zu seinem Leben und Werk mit einem Handschriftenkatalog. Berlin 1985.

Schriften der Theodor-Storm-Gesellschaft 1/1952 – 35/1986 u. ff. (Zitiert als „STSG").
Storm, Gertrud: Theodor Storm. Ein Bild seines Lebens. Bde. 1 – 2. Berlin 1912/13.
Storm, Gertrud: Mein Vater Theodor Storm. Berlin 1922.
Stuckert, Franz: Theodor Storm. Der Dichter in seinem Werk. Halle/Saale 1940.
Stuckert, Franz: Theodor Storm. Sein Leben und seine Welt. Bremen 1955.
Vinçon, Hartmut: Theodor Storm. Reinbek 1982 (= rowohlts monographien 186).
Wedde, Johannes: Theodor Storm. Einige Züge zu seinem Bilde. Hamburg 1888.

6. Zur Literatur des Realismus und der Gründerzeit

Aust, Hugo: Literatur des Realismus. Stuttgart ^{2}1981 (= Sammlung Metzler 157).
Bernd, Clifford A.: German Poetic Realism. Boston 1981.
Brinkmann, Richard (Hg.): Begriffsbestimmung des literarischen Realismus. Darmstadt 1969.
Bucher, Max / Hahl, Werner / Jäger, Georg / Wittmann, Reinhard (Hg.): Realismus und Gründerzeit. Manifeste und Dokumente zur deutschen Literatur 1848 – 1880. Bde. 1 – 2. Stuttgart 1976.
Cowen, Roy C.: Der Poetische Realismus. Kommentar zu einer Epoche. München 1985.
David, Claude: Zwischen Romantik und Symbolismus 1820 – 1885. Gütersloh 1966.
Denkler, Horst (Hg.): Romane und Erzählungen des Bürgerlichen Realismus. Neue Interpretationen. Stuttgart 1980.
Klein, Johannes: Geschichte der deutschen Novelle von Goethe bis zur Gegenwart. Wiesbaden ^{4}1960.
Koch, Franz: Idee und Wirklichkeit. Deutsche Dichtung zwischen Romantik und Naturalismus, Bd. 2. Düsseldorf 1956.
Kohl, Stephan: Realismus. Theorie und Geschichte. München 1977 (= Uni Tb 643).
Kohlschmidt, Werner: Geschichte der deutschen Literatur vom Jungen Deutschland bis zum Naturalismus. Stuttgart 1975.
Kunz, Josef: Die deutsche Novelle im 19. Jahrhundert. Berlin ^{2}1978 (= Grundlagen der Germanistik 10).
Lukács, Georg: Deutsche Realisten des 19. Jahrhunderts. In: *Ders.*, Werke, Bd. 7. Neuwied, Berlin 1964, S. 185 – 498.
Martini, Fritz: Deutsche Literatur im bürgerlichen Realismus 1848 – 1898. Stuttgart (1. Aufl. 1962) ^{3}1974.
Müller, Klaus-Detlef (Hg.): Bürgerlicher Realismus. Grundlagen und Interpretationen. Königstein/Ts. 1981.
Polheim, Karl Konrad (Hg.): Handbuch der deutschen Erzählung. Düsseldorf 1981.
Sagarra, Eda: Tradition und Revolution. Deutsche Literatur und Gesellschaft 1830 bis 1890. München 1972.
Stern, Joseph Peter: Über literarischen Realismus. München 1983.

7. Zu Storms Novellistik und dem „Schimmelreiter“

Alt, Arthur Tilo: Flucht und Verwandlung: Theodor Storms Verhältnis zur Wirklichkeit. In: STSG 25/1976, S. 9 – 24.

Artiss, David S.: Bird motif and myth in Theodor Storms Schimmelreiter. In: Seminar 4/1968, S. 1 – 16.

Ders.: Literary Symbolism in the Novellen of Theodor Storm. Diss. Cambridge 1974. [Masch.]

Ders.: Theodor Storm: Studies in Ambivalence. Symbol and Myth in his Narrative Fiction. Amsterdam 1978 (= German Language and Literature Monographs 5).

Barz, Paul: Der wahre Schimmelreiter. Die Geschichte einer Landschaft und ihres Dichters Theodor Storm. Frankfurt/M., Berlin, Wien 1985 (= Ullstein Sachbuch 34271).

Biese, Alfred: Theodor Storm und der moderne Realismus. Berlin 1888.

Blankenagel, John C.: Tragic Guilt in Storm's „Schimmelreiter“. In: The German Quarterly 25/1952, S. 170 – 181.

Böckmann, Paul: Theodor Storm und Fontane. Ein Beitrag zur Funktion der Erinnerung in Storms Erzählkunst. In: STSG 17/1968, S. 85 – 93.

Boll, Karl Friedrich: Über die Verfilmung von Werken Fontanes und Storms. In: STSG 25/1976, S. 61 – 74.

Brett-Evans, David: Die späteren Novellen Theodor Storms als Vorboten des Naturalismus. In: Internat. German.-Kongr. V,3/1975, S. 309 – 317.

Burchard, Annemarie: Theodor Storms „Schimmelreiter“. Ein Mythos im Werden. In: Antaios 2/1961, S. 456 – 469.

Coupe, W.A.: Der Doppelsinn des Lebens: Die Doppeldeutigkeit in der Novellistik Theodor Storms. In: STSG 26/1977, S. 9 – 21.

Cowen, Roy C.: Theodor Storm. Der Schimmelreiter. In: *Ders.*, Der Poetische Realismus. Kommentar zu einer Epoche. München 1985, S. 304 – 316.

Dörrlamm, Brigitte: Theodor Storm: „...im Drang des Tages, Dein Ich behauptend“. In: *Dies.* u. a., Klassiker heute. Realismus und Naturalismus. Frankfurt/M. 1983 (= Fischer Tb 3027).

Ebersold, Günther: Politik und Gesellschaftskritik in den Novellen Theodor Storms. Frankfurt/M., Bern 1981.

Ellis, J.M.: Narration in Storms „Der Schimmelreiter“. In: The Germanic Review 44/1969, S. 21 – 30.

Eversberg, Gerd: Erläuterungen zu Theodor Storm. Der Schimmelreiter. Hollfeld/Ofr. 1983 (= Königs Erläuterungen und Materialien 192/192a).

Faigel, Peter: Theodor Storm: Der Schimmelreiter. In: Lesehefte. Lehrerheft VI. Stuttgart 1980, S. 24 – 32.

Fontane, Theodor: Theodor Storm. In: *Ders.*, Werke in drei Bänden. Hg. v. *Kurt Schreinert*, Bd. 3. München 1968, S. 871 – 894.

Freund, Winfried: Theodor Storm. Der Schimmelreiter. Glanz und Elend des Bürgers. Paderborn 1984 (= Modellanalysen: Literatur 10).

Frühwald, Wolfgang: Hauke Haien, der Rechner. Mythos und Technikglaube in Theodor Storms Novelle „Der Schimmelreiter“. In: Literaturwissenschaft und Geistesgeschichte. Festschrift für R. Brinkmann. Hg. v. *J. Brummack* u. a.. Tübingen 1981, S. 438 – 457.

Heine, Thomas: Der Schimmelreiter: An Analysis of the Narrative Structure. In: The German Quarterly 55/1982, S. 554 – 564.

Hermand, Jost: Hauke Haien. Kritik oder Ideal des gründerzeitlichen Übermenschen? In: Wirkendes Wort 15/1965, S. 40 – 50.

Holander, Reimer Kay: Theodor Storm. Der Schimmelreiter. Kommentar und Dokumentation. Dichtung und Wirklichkeit. Frankfurt/M., Berlin, Wien 1976 (= Ullstein Tb 3934).

Hoppe, Karl: Der gespenstige Reiter. Eine unbekannte Quelle Storms. In: Westermanns Monatshefte 5/1949, S. 45 – 47.

Jaugey, Gesine: Stundenblätter. „Schimmelreiter" und „Judenbuche" im Vergleich. Stuttgart 1978.

Jørgensen, Sven-Aage: Vergangenheit und Vergänglichkeit. Zur Funktion des Erinnerns in Theodor Storms Novellen. In: STSG 35/1986, S. 9 – 15.

Kayser, Wolfgang: Bürgerlichkeit und Stammestum in Theodor Storms Novellendichtung. Berlin 1938.

Knüfermann, Volker: Realismus. Untersuchungen zur sprachlichen Wirklichkeit der Novellen „Im Nachbarhause links", „Hans und Heinz Kirch" und „Der Schimmelreiter" von Theodor Storm. Diss. Münster 1967.

Köhnke, Klaus: Storms „Schimmelreiter": Zur Bedeutung des Rahmens. In: Deutschunterricht Südafrika 9/1978, S. 4 – 20.

Kuchenbuch, Thomas: Perspektive und Symbol im Erzählwerk Th. Storms. Zur Problematik und Technik der dichterischen Wirklichkeitsspiegelung im poetischen Realismus. Diss. Marburg 1969.

Laage, Karl Ernst: Das Erinnerungsmotiv in Theodor Storms Novellistik. In: STSG 7/1958, S. 17 – 39.

Ders.: Der „Schimmelreiter" im „Danziger Dampfboot". In: STSG 20/1971, S. 72 – 75.

Ders.: Der ursprüngliche Schluß der Stormschen Schimmelreiter-Novelle. In: Euphorion 73/1979, S. 451 – 457. – Erw. Fassung auch in: STSG 30/1981, S. 57 – 67.

Ders.: Dichtung und lokale Wirklichkeit in Storms Novellistik. in: *Ders.*, Theodor Storm. Studien zu seinem Leben und Werk mit einem Handschriftenkatalog. Berlin 1985, S. 43 – 55.

Langer, Ilse: Volksaberglaube und paranormales Geschehen in einigen Szenen des „Schimmelreiters". In: STSG 24/1975, S. 90 – 97.

Lent, Clara: Theodor Storm. In: Die Frau (Mai 1899), S. 458 – 462.

Loeb, Ernst: Faust ohne Transzendenz: Theodor Storms Schimmelreiter. In: Studies in Germanic languages and literatures. In Memory of Fred O. Nolte. Hg. v. *E. Hofacker* und *L. Dieckmann*. St. Louis/Missouri 1963, S. 121 – 132.

Lukács, Georg: Bürgerlichkeit und l'art pour l'art: Theodor Storm (1911). In: *Ders.*, Die Seele und die Formen. Essays. Neuwied, Berlin 1971, S. 82 – 116 (= Slg. Luchterhand 21).

Mann, Thomas: Theodor Storm (1930). In: *Ders.*, Gesammelte Werke in zwölf Bänden, Bd.IX: Reden und Aufsätze 1. Frankfurt/M. 1960, S. 246 – 267.

Peischl, Margaret Th.: Das Dämonische im Werk Theodor Storms. Frankfurt/M., Bern 1983.

Peter, Hans-Werner: Individuum, Familie, Gesellschaft in Theodor Storms „Schimmelreiter" und Wilhelm Raabes „Akten des Vogelsangs". Braunschweig 1982.

Ritchie, J.M.: Theodor Storm und der sogenannte Realismus. In: STSG 34/1985, S. 21 – 33.

Romane und Novellen. In: Deutsche Dichtung XI, 1891/92, S. 142.

Schmidt, Erich: Charakteristiken, Bd. 1. Berlin 1886.

Schmidt, Erich: Theodor Storm zum Gedächtniß. In: Halbmonatshefte der Deutschen Rundschau H. 1.2. /1888/89, S. 224 – 226.

Schumann, Willy: Die Umwelt in Theodor Storms Charakterisierungskunst. In: STSG 11/1962, S. 26 – 38.
Schuster, Ingrid: Theodor Storm. Die zeitkritische Dimension seiner Novellen. Bonn 1971 (= Studien zur Germanistik, Anglistik und Komparatistik 12).
Silz, Walter: Theodor Storms Schimmelreiter. In: STSG 4/1955, S. 9 – 30. (Zuerst in: PMLA 61/1946, S.762 – 783).
Vinçon, Hartmut: Der Schimmelreiter. In: Nachwort zu Storm, Der Schimmelreiter und andere Novellen. Hg. v. *H.Vinçon*. München 1979, S. 300 – 311.
Wagener, Hans: Theodor Storm. Der Schimmelreiter. Erläuterungen und Dokumente. Stuttgart 1976 (= RUB 8133).
Wittmann, Lothar: Theodor Storm: Der Schimmelreiter. In: Deutsche Novellen des 19. Jahrhunderts. Interpretationen zu Storm und Keller. Frankfurt/M., Berlin, Bonn 1961, S. 50 – 92.
Zimorski, Walter: Theodor Storm: Der Schimmelreiter (1888). Eine Einführung in die Novelle für die Klassen 8 bis 10. Hollfeld/Ofr. 1986 (= Bausteine Deutsch).
Zuber, Wolfgang: Natur und Landschaft in der späteren Novellistik Theodor Storms. Zur epischen Integration der Naturdarstellung in der Entwicklungsgeschichte der deutschen Novelle. Diss. Tübingen 1969.

8. Verschiedenes

Hinrichs, Boy / Panten, Albert / Riecken, Guntram: Flutkatastrophe 1634. Natur, Geschichte, Dichtung. Neumünster 1985.
Kerker, Armin (Hg.): Storms Friesland. Hamburg 1984.
Laage, Karl Ernst: Theodor Storm in Husum und Nordfriesland. Ein Führer durch die Stormstätten. Heide 1979.
Der Schimmelreiter. Gelesen von *Wolfgang Büttner*. Murrhardt (= Schumm sprechende Bücher. Drei Cassetten Nr. 1183, 1 – 3).